DE L'ANGOISSE À L'ESPOIR

ALBERT JACQUARD

De l'angoisse
à l'espoir

Leçons d'écologie humaine

ÉDITION ÉTABLIE PAR CRISTIANA SPINEDI

CALMANN-LÉVY

La première édition de l'ouvrage a été publiée en langue italienne
(Università della Svizzera italiana-Accademia di architettura, 1999)

Introduction

Ce texte est l'aboutissement non prémédité d'un cheminement où se sont succédé la parole et l'écrit, le français et l'italien, l'exposé spontané devant un public étudiant et pour finir la prise de notes face à un enregistrement vidéo. En voici les principales étapes.

Dès la première année de la toute nouvelle Accademia di Architettura de Mendrisio (Tessin), ses créateurs, les architectes Mario Botta et Aurelio Galfetti, ont voulu inciter les étudiants à des réflexions ne concernant pas seulement les aspects techniques de leur futur métier. Leur rôle dans la société sera de contribuer à définir le cadre dans lequel les hommes de demain se rencontreront, évolueront, deviendront eux-mêmes ; c'est l'homme plus que le bâtiment qui doit être l'obsession première de l'auteur d'un projet. Des « leçons d'écologie humaine » ont donc été insérées dans les programmes ; Albert Jacquard, bien qu'il ne sache s'exprimer qu'en français, a été chargé de leur donner un contenu ; un néologisme, l'« humanistique », en résume l'objectif.

Les étudiants suisses, même lorsqu'ils sont italophones ou germanophones de culture, sont censés comprendre un exposé en français, mais de nombreux élèves étrangers éprouvaient de grandes difficultés. Pour les aider à les surmonter, un enregistrement vidéo de chacune des interventions a été systématiquement réalisé, et les cassettes mises à leur disposition.

Pour faciliter leur compréhension, il est également apparu utile de leur fournir une traduction en italien de l'ensemble des conférences prononcées au cours des deux premières années. Cristiana Spinedi, qui venait de terminer ses études de littérature et linguistique italiennes et françaises à l'université de Zurich, a été chargée de cette tâche. Elle a pris des notes à partir de quelque quatre-vingts heures d'enregistrement, a mis en forme les idées qui lui paraissaient les plus importantes compte tenu *de sa propre trajectoire, les a regroupées selon un plan logique, enfin a traduit en italien le texte français auquel elle avait abouti.*

Cette version a été publiée par l'université de la Suisse italienne sous le titre Dall'angoscia alla speranza. *Le texte a été accompagné de nombreuses photographies choisies par Luca Gazzaniga, architecte, dans l'immense collection de René Burri, directeur de l'agence Magnum France.*

L'éditeur des ouvrages récents d'Albert Jacquard chez Calmann-Lévy a estimé opportun de mettre ce texte à la portée du public francophone. C'est à nouveau Cristiana Spinedi qui a été chargée de cette transcription.

Le résultat est-il le reflet fidèle des ambitions de tous ceux qui ont contribué à le créer? Ceux-ci sont les plus mal placés pour répondre. Au lecteur de juger.

A. J. et C. S.

I

AUJOURD'HUI : L'ANGOISSE

La renaissance du XXᵉ siècle

Alors que le XXIᵉ siècle ouvre la voie au IIIᵉ millénaire, l'Histoire paraît de nouveau subir une bifurcation. Les nations les plus puissantes, qui donnaient l'impression d'avoir été construites pour défier l'usure du temps, se brisent et disparaissent. Des événements spectaculaires, comme la chute du mur de Berlin il y a une décennie, ou comme la destruction, il y a quelques mois, du World Trade Center, s'impriment dans les esprits de tous les hommes comme les images d'une transformation décisive dans les rapports entre des coalitions politiques ou culturelles antagonistes.

Loin de révéler les changements qui se produisent – si rapides et profonds qu'ils représentent une véritable révolution –, ces images les camouflent. Ce qui change, ce sont en effet les conditions dans lesquelles les hommes vivent ensemble sur leur petite planète.

Les événements quotidiens, si spectaculaires, si dramatiques parfois soient-ils, ne sont que la mousse de ces transformations, qui restent ignorées car elles ne sont pas immédiatement visibles : jour après jour, l'actualité nous cache le mouvement réel de l'Histoire.

Oui, nous sommes en train de vivre une révolution, et nous ne devons pas oublier que toute révolution partage les hommes en deux camps : ceux qui la subissent et ceux qui la conduisent. Nous devons donc nous rendre compte que nous avons le devoir de participer activement aux changements en cours, pour leur donner la bonne direction.

Il est avant tout fondamental d'approfondir notre condition d'homme et de femme, d'aller au fond de nous-mêmes en nous posant la question de savoir ce qu'est l'être humain. Aujourd'hui, il est peut-être possible de donner une réponse nouvelle à cette question que les hommes se posent depuis toujours ; le XXᵉ siècle a été en effet caractérisé par un renouvellement général des concepts.

Commençons par constater combien, au cours de ce siècle, a été transformée notre vision de la réalité et par conséquent notre vision de nous-mêmes ; constatons également que nous n'en avons pas suffisamment pris conscience ; nous faisons comme si la description actuelle du monde était la même que celle des siècles passés, alors qu'elle est complètement différente.

Certes, les pouvoirs nouveaux mis depuis peu entre les mains des hommes entraînent un changement radical de leurs conditions de vie ; cependant, la révolution la plus décisive est celle qui concerne les concepts grâce auxquels ils comprennent le monde qui les entoure. Au cours du XXe siècle, les notions d'univers, de temps, d'espace, de matière ont complètement changé, ce qui a entraîné un extraordinaire accroissement de notre aptitude à transformer ce monde. Ainsi, en quelques décennies, notre capacité de destruction s'est accrue de plusieurs ordres de grandeur : avec les moyens que nous possédons aujourd'hui, quelques jours seraient suffisants pour détruire l'humanité entière. Simultanément, nous avons étendu nos pouvoirs sur le monde vivant, qu'il s'agisse des animaux, des végétaux ou surtout de nous-mêmes.

Actuellement, nous savons transformer la nature même des êtres humains ; nous sommes donc obligés d'affronter des problèmes auxquels aucun philosophe du passé n'aurait jamais pu penser.

On entend parler tous les jours de « crise ». Une crise est une situation provisoire ; elle a un début, une fin, elle s'achève plus ou moins brièvement. Le concept de « crise » est dangereusement trompeur car il implique que, même si la situation actuelle n'est pas exactement semblable à celle du passé, celle-ci se manifestera de nouveau. Ce qu'est en train de vivre la société d'aujourd'hui n'aura pas une fin ramenant à l'état antérieur. Il ne faut donc pas parler de crise mais de « mutation irréversible », au sens où l'entendent les biologistes ; il n'y aura pas de retour.

Les changements que nous vivons nous conduisent à une situation définitivement inédite. Cette irréversibilité de la mutation est beaucoup plus difficile à accepter : notre attitude face à la mort en est la manifestation ; nous ne supportons pas l'idée de la mort, car elle est l'exemple absolu de l'irréversibilité.

S'habituer à l'impossibilité du retour en arrière engendrée par certains processus est

donc un exercice cérébral de plus en plus nécessaire, mais qui contraste évidemment avec la
paresse intellectuelle à laquelle nous sommes
habitués. Cette paresse est à l'origine de l'idée
aujourd'hui dominante que l'avenir peut être
imaginé comme une répétition du passé. Il est
urgent de nous débarrasser de cette illusion.

Les révolutions conceptuelles

La nouvelle lucidité apportée par les concepts
scientifiques mis au point au cours du XXe siècle
nous aide à passer d'une vision pessimiste du
monde à une vision fondamentalement plus
optimiste, et surtout d'une attitude soumise à
une attitude active.

La moisson de remises en cause a été
particulièrement riche. Ainsi pour le temps : la
mythologie grecque présentait Chronos comme
antérieur à Jupiter ; cela signifiait que le temps
pouvait être considéré comme préexistant à
l'Univers ; aujourd'hui, nous savons que temps,
espace et matière sont intimement liés, chacun
est nécessaire à la définition des autres, ce qui
entraîne en particulier l'abandon de la notion
d'attraction universelle proposée par Newton

au profit de celle de courbure de l'espace proposée par Einstein.

De même est radical le passage de la vision de Laplace, selon laquelle l'état actuel du monde contient son avenir, à celle de Poincaré et des auteurs de la physique quantique montrant que l'état à venir de l'Univers ne peut pas être déduit de son état présent. Le XIXe siècle avait été marqué par la conviction que la connaissance du présent permettait de déduire le futur ; il en résultait que rien ne pouvait être modifié dans le déterminisme des événements. Dans un tel monde, enfermé dans sa réalité, la prétention des hommes à le transformer ne pouvait qu'être illusoire. Au cours du XXe siècle, la vision de Laplace a été remplacée par le constat de l'imprévisibilité générée par l'enchevêtrement des processus déterministes. Poincaré a développé ce raisonnement à propos du mouvement du Soleil, de la Terre et de la Lune. Chacun de ces trois corps attire et est attiré par les autres ; trois forces rigoureusement déterminées sont donc à l'œuvre : les attractions Terre-Soleil, Soleil-Lune et Lune-Terre. Poincaré a montré que le résultat de leurs interactions ne peut pas être prévu à long terme, car la connaissance de la situation présente ne peut être suffisamment précise ; en effet, une erreur sur la définition de l'état initial est multipliée à chaque stade de la prévision et, à long terme, enlève à celle-ci toute signification. Le même phénomène empêche les prévisions météorologiques : une erreur d'un centième de degré sur la température d'aujourd'hui entraîne une erreur trois cents fois plus grande – et donc de trente degrés – un mois plus tard. De même, à propos du mouvement de la Terre, du Soleil et de la Lune, une erreur d'un millimètre sur la position de la Terre aujourd'hui provoque sur la prévision de sa position dans cent millions d'années une erreur plus grande que la dimension de son orbite. Une prévision aussi lointaine est donc dépourvue de sens.

Il ne s'agit pas seulement d'une incapacité humaine à tirer les conséquences du déterminisme, mais aussi d'une incapacité de la nature ; elle ne peut tirer les conséquences de la réalité actuelle en fonction des déterminismes en action. Le raisonnement de Poincaré montre que la nature elle-même, à long terme, ne peut pas savoir quel sera son cheminement : la réalité ne contient pas son propre avenir.

Simultanément à la remise en place du déterminisme, le XXe siècle a apporté la notion d'indécidabilité, théorisée par le mathémati-cien Kurt Gödel. Il s'agit des limites de l'outil nécessaire à tous nos raisonnements, la logique. C'est grâce à elle que nous pouvons déduire les conséquences des divers postulats admis comme points de départ ; son objectif est de déduire de ces postulats que telle affirma-tion est juste, telle autre est fausse. Ainsi, les mathématiques commencent par poser la liste des axiomes qui permettent de raisonner avec rigueur. Mais cette liste peut-elle être complète ? En 1932, Gödel a montré qu'elle serait toujours insuffisante. Si riche soit-elle, il sera possible de proposer une affirmation qui ne pourra être démontrée ni vraie ni fausse, qui sera « indécidable ». Son théorème est la démonstration que la logique humaine ne pourra jamais répondre rigoureusement à toutes les affirmations ; entre le vrai et le faux s'insère un domaine où il n'est pas possible de décider. L'exemple le plus simple et le plus connu d'indécidabilité est la conjecture du mathéma-ticien Goldbach qui, au milieu du XVIIe siècle, a remarqué que tout nombre pair est la somme de deux nombres premiers. Le nombre 100, par exemple, est donné par l'addition 53 + 47. Mais cette propriété est-elle toujours vérifiée, n'existe-t-il pas des nombres pairs pour lesquels il faudrait additionner trois nombres premiers ? Aucune démonstration n'a pu en être proposée.

Bien que le théorème de Gödel puisse apparaître abstrait, il apporte en réalité une ouverture pour notre esprit, en nous libérant de l'enfermement dans le choix entre le vrai et le faux.

Constatant que la réalité n'est plus déterminée mais aléatoire, que la logique n'est plus rigoureuse mais remplacée par l'indécision, il est raisonnable d'admettre que nous disposons d'un espace de liberté, et d'éprouver en même temps un inquiétant manque de points de repère. En fait, à la liberté, beaucoup de nos contemporains préfèrent le confort des repères apportés par la prison de la quotidienneté. Aujourd'hui, il faut accepter notre condition d'explorateurs face à une région inconnue ; nous nous apprêtons à traverser un siècle dans lequel les parcours tracés précédemment ne se prolongent pas.

Un autre changement conceptuel radical a été proposé par les physiciens. Au cours des années 20-30, ils ont constaté que le comportement des particules élémentaires ne pouvait s'expliquer en leur appliquant les règles valables pour les objets macroscopiques qui nous entourent. En analysant ces objets en éléments de plus en plus petits, l'on se heurte à une barrière indépassable, à de l'insécable, à des « quanta ». Ces éléments ne peuvent être traités comme s'ils étaient des grains de sable infiniment petits, comme des morceaux de matière soumis aux mêmes contraintes que la matière que nous observons. On ne peut les définir que comme des « paquets d'onde », c'est-à-dire comme des fonctions de l'espace et du temps décrivant la probabilité de leur présence en tel lieu à tel instant. Or, cette probabilité peut être très faible, mais non nulle. Chaque particule couvre donc la totalité de l'espace.

À ce point, nous nous rendons compte que toutes nos intuitions et nos représentations spontanées n'ont rien à voir avec ce qui est proposé par la physique quantique. Notre pouvoir de description s'arrête ; l'Univers qui nous entoure n'est plus celui que nous imaginions au cours des siècles passés ; il n'a plus la stabilité rassurante que proposait, par exemple, la Bible : « Il n'y a jamais rien sous le soleil. » En fait, les processus de transformation qui construisent demain à partir d'aujourd'hui sont fondamentalement aléatoires.

Ces changements conceptuels de notre siècle nous obligent à regarder l'Univers selon un autre point de vue ; de la même façon, notre projet pour le XXIe siècle doit prendre en considération cette nouvelle compréhension du monde.

La Terre comme demeure définitive

Chez l'être humain, la préoccupation de l'avenir domine la conscience du présent. Plus que chez tout autre animal, l'essentiel des instants vécus est consacré à la préparation des instants qui suivront : d'où l'angoisse permanente du lendemain.

Après avoir évoqué quelques-uns des changements qui ont transformé la vision que nous avions au XIXe siècle du cosmos et de nous-mêmes, nous devons faire face aux transformations possibles. Il nous faut discerner parmi les utopies imaginables celles qui pourront peut-être devenir réalité.

Cherchant à établir un inventaire de ce que l'on peut projeter pour notre Terre, nous devons

d'abord comprendre que nous sommes prison-
niers de notre planète. Il est tentant de faire
confiance à l'intelligence humaine et de croire
que le jour où la Terre aura été rendue inhospitalière, incompatible avec les besoins des
hommes, nous pourrons poursuivre notre aventure en nous exilant sur une autre planète ; ainsi
pourrions-nous échapper à la finitude imposée
par les ressources limitées de la Terre.

La question «Dans le cosmos, y a-t-il eu
d'autres aventures semblables à l'évolution qui
s'est déroulée sur la Terre ?» est prise au sérieux
par nombre de chercheurs. L'hypothèse qu'il y
a ailleurs d'autres êtres intelligents conduit à
leur envoyer des messages et à capter leurs
éventuelles réponses. Jusqu'à maintenant,
on n'a entendu que du bruit, rien qui puisse
donner la preuve qu'une pensée s'exprime.
Nous constatons que nous ne sommes peut-être
pas seuls, mais que nous sommes isolés.

Si, un jour, nous établissons un contact avec
une autre civilisation, il s'agira d'ailleurs d'une
coïncidence si extraordinaire, compte tenu des
délais de transmission, qu'elle n'aura proba-
blement jamais lieu.

Certes, sur les quelque cent milliards
d'étoiles de la Voie lactée, un bon nombre

doivent être entourées de planètes; parmi celles-ci, beaucoup doivent disposer d'une atmosphère protectrice et d'eau liquide; une évolution produisant des êtres semblables aux vivants terriens a pu s'y dérouler et aboutir, pourquoi pas?, à des formes d'intelligence. Cependant, si de telles planètes existent, il ne faut pas oublier qu'elles sont à une distance de quelques milliers d'années-lumière. Si elles étaient plus proches, leurs habitants auraient pu nous envoyer des signaux et nous serions au courant de leur présence.

D'autre part, ces éventuelles civilisations pourraient être soit dans l'état où se trouvait l'humanité il y a quelques milliers ou dizaines de milliers d'années, ou au contraire dans l'état où elle sera dans un avenir lointain; cette non-concordance des temps ne faciliterait pas les échanges.

Quant au projet d'une transhumance des Terriens vers une autre planète, il est totalement déraisonnable, car il se heurte à un obstacle infranchissable : la vitesse de la lumière, qui ne peut être dépassée. Il ne s'agit pas là d'une difficulté technique que quelques progrès permettraient de surmonter, mais de la nature même de la structure spatio-temporelle de notre univers.

Cette structure a été décrite par Einstein pour résoudre le constat apparemment paradoxal de la constance de la vitesse de la lumière. Quel que soit le mouvement de la source de cette lumière, sa vitesse est toujours la même pour tous les observateurs. Cette constance nécessite une redéfinition de la durée : le temps n'est pas une grandeur indépendante, il est lié à l'espace ; changer le repère de celui-ci implique de changer le repère de celui-là. Une des conséquences est qu'aucun objet, aucune information ne peut avoir une vitesse supérieure à une limite, représentée par la lettre c, qui est une des constantes fondamentales du cosmos.

Cette limitation rend illusoire l'envoi d'une navette spatiale emportant des explorateurs chargés de préparer l'arrivée des premiers émigrants. Nous interrogeant sur le futur, nous ne pouvons que formuler quelques hypothèses : la plus raisonnable est d'admettre que nous ne quitterons jamais la Terre. La planète sur laquelle nous vivons est donc pour nous la planète définitive. L'Homme est à la mesure de la Terre. Puisqu'il ne la quittera pas, il est de son devoir de chercher à vivre avec elle sereinement, en la respectant, en s'efforçant de ne pas la détruire.

La finitude de notre planète

Arrivé à ce point, une question est légitime, et angoissante : quel est l'avenir de notre civilisation, sachant que nous en sommes à la fois les créateurs et les produits ?

Au cours de l'évolution, rares ont été les espèces qui ont vécu plus de quelques centaines de millions d'années ; un jour viendra donc nécessairement où la nôtre aura disparu. Il ne restera aucune trace des efforts fabuleux accomplis par les hommes pour transformer la portion d'univers qui leur a été attribuée. Ce n'est pas la mort individuelle qui est véritablement objet de scandale, mais la mort collective.

Pour autant, la fin de l'humanité n'entraînera pas forcément l'arrêt de la construction d'une civilisation. Au cours d'une conversation très personnelle, Théodore Monod, devant qui j'évoquais cette angoisse, m'a consolé en imaginant que, les hommes ayant disparu, d'autres espèces, dans quelques dizaines ou centaines de millions d'années, prendraient le relais ; il pariait sur la réussite des céphalopodes. Ces mollusques marins pourraient retarder l'échéance ; mais la fin reste inéluctable : dans cinq milliards d'années, le Soleil absorbera notre planète, avant de s'éteindre.

Un sursis supplémentaire nous est proposé par un autre scientifique, l'astrophysicien Hubert Reeves, qui remarque que le Soleil utilise mal son carburant, l'hydrogène. Dans *Patience dans l'azur* (Seuil, 1988), il propose d'envoyer au centre du Soleil toutes les bombes atomiques disponibles pour améliorer le rendement de ce processus et gagner un ou deux milliards d'années de durée de vie.

Quelles que soient nos capacités à retarder la fin de l'aventure de la conscience, il nous faut l'accepter et donc consacrer nos efforts à rendre meilleur le sort de nos contemporains et de nos descendants. Pour diriger efficacement ces efforts, il nous faut avant tout être conscients des contraintes imposées par notre environnement, et notamment de la finitude des richesses apportées par la Terre.

L'une de ces richesses est la surface habitable ; or, elle est limitée, ce qui interdit une croissance sans fin du nombre des humains. Depuis deux siècles, nous assistons à une évolution de cet effectif qui représente l'équivalent d'une « dérive des continents humains », bien illustrée par les cartes démographiques repré-

sentant chaque nation par une surface propor-
tionnelle non à sa superficie, mais à sa population. Elles montrent que, d'ici le milieu de ce
siècle, la population de l'Asie se sera accrue de
moitié, celle de l'Amérique latine aura doublé,
celle de l'Afrique triplé, tandis que l'Europe et
l'Amérique du Nord resteront stables.

Cette croissance de l'effectif global, un milliard et demi en 1900, six milliards aujourd'hui,
neuf ou dix milliards dans un siècle, est la
conséquence de notre plus belle victoire, celle
qui a fait reculer la mortalité infantile. La rup-
ture de l'équilibre entre naissances et décès
aboutit à une quasi-saturation de la planète et
nous oblige à modifier la façon dont nous utilisons les biens qu'elle nous fournit. Il est clair
que l'alignement de neuf milliards d'humains
sur le mode de vie des Occidentaux actuels
aboutirait à un gaspillage destructeur ne laissant
à nos petits-enfants qu'une Terre exsangue.
Pour éviter des inégalités entraînant des conflits
catastrophiques pour tous, la seule issue est
dans le choix d'une diminution de la consommation par les peuples les plus riches.

Ce programme est à l'opposé de leur attitude
actuelle : de façon insensée, ils attendent de la
croissance de cette consommation la solution

de tous leurs maux. L'origine de cette erreur est sans doute la croyance dans l'importance de la « valeur » telle qu'elle est définie par la loi du marché, valeur qui est devenue la mesure suprême, base de toute hiérarchie.

Quelques chiffres donnent la mesure du drame dans lequel nous précipite le désir de toujours plus de richesse des peuples nantis. Les populations de l'Occident et du Japon représentent un quart du total de l'humanité ; elles consomment les trois quarts des richesses disponibles. La consommation moyenne des habitants des pays pauvres est donc neuf fois plus faible que celle des riches. Combien de temps encore ceux qui sont privés du minimum nécessaire à la survie pourront-ils tolérer le spectacle de l'opulence désordonnée des nantis ?

L'état de la Terre est tel que nous avons le devoir de nous préoccuper des conséquences de nos actions. Un exemple est fourni par l'effet de serre dû à l'augmentation de la proportion de certains gaz, tel le gaz carbonique, dans l'atmosphère. Cet effet est dû à une atmosphère capable de laisser passer les rayonnements de faible longueur d'onde envoyés par le Soleil, mais qui est relativement opaque aux rayonnements, de plus grande longueur d'onde, renvoyés par la Terre (cette différence de comportement est causée par la présence de molécules asymétriques comme l'eau, le gaz carbonique ou le méthane). Le résultat en est une augmentation de la température lorsque cette opacité s'accroît. Or, depuis le milieu du XIXe siècle, la proportion du gaz carbonique dans l'atmosphère a augmenté de trente pour cent. Nous sommes incapables d'en chiffrer les conséquences, mais il est probable qu'elles ne sont pas insignifiantes. Un ralentissement des émissions de ce gaz est donc impératif.

La prise de conscience de notre responsabilité dans le devenir de la planète nous contraint à proposer un projet. Nous devons partir du constat de sa fragilité et de notre capacité à la détruire. La phrase célèbre de Paul Valéry, « Le temps du monde fini commence », signifie que nous entrons dans une période nouvelle de l'histoire de l'humanité. Nous nous sommes jusqu'ici comportés comme si la Terre pouvait supporter sans broncher nos pires actions ; il nous faut désormais comprendre qu'elle est entre nos mains, et qu'elle est fragile.

Pour commencer, il nous faut faire l'inventaire de notre « propriété de famille » et décider de ce que nous pouvons abandonner ou détruire et de ce que nous devons absolument préserver.

Parmi ces biens les plus précieux, il faut compter la couche d'ozone présente dans la haute atmosphère ; elle est certes peu épaisse (quelques millimètres), mais elle nous protège contre les rayons ultraviolets. Ce n'est qu'après la constitution de cette couche, il y a plus d'un milliard d'années, que les premiers êtres vivants ont pu quitter le milieu marin et s'aventurer sur les terres émergées. La détruire en utilisant l'atmosphère comme une poubelle, c'est condamner toute forme de vie hors des océans.

En fait, tous les biens non renouvelables, ceux que la Terre nous offre mais ne nous donnera pas deux fois, doivent être considérés comme « bien commun de l'humanité », et donc inviolables.

Les biens non renouvelables

L'exemple le plus significatif de bien non renouvelable est le pétrole. En le détruisant, nous faisons définitivement disparaître une matière que la nature a mis quelques centaines de millions d'années à produire ; en quelques siècles, nous en aurons dilapidé la totalité. La quantité totale encore disponible est d'estimation difficile, mais au rythme actuel de consommation (quatre milliards et demi de tonnes par an), il est probable que les réserves seront presque épuisées avant la fin du XXIᵉ siècle.

Cette richesse, à qui appartient-elle ? Évidemment pas aux princes gouvernant les pays où elles ont été découvertes, ni aux compagnies internationales qui les exploitent. Elle appartient à tous les hommes, à ceux de demain et d'après-demain autant qu'à ceux d'aujourd'hui. Détruire un bien non renouvelable est commettre un acte irréversible qui appauvrit toute l'humanité ; pire qu'un vol, c'est un crime contre l'humanité à venir.

Pour de tels biens, le concept de propriété n'est plus applicable. Il en est de même pour les œuvres d'art. Souvenons-nous de ce tableau de Van Gogh, *Le Portrait du docteur Gachet* ; il a été acheté, très cher, par un milliardaire japonais qui a annoncé son intention de se faire incinérer avec ce tableau. La réalisation de ce projet lui a été refusée ; certes, le fait de l'avoir acheté lui donnait le droit d'en disposer, mais pas le droit de le détruire. Comme tout chef-d'œuvre, qu'il ait été produit par la nature ou par les hommes, il appartient à l'ensemble de l'humanité.

Un baril de pétrole peut aussi être considéré comme un chef-d'œuvre : pour le produire, il a fallu longuement comprimer des milliards de cadavres de bactéries. L'utiliser pour obtenir des produits chimiques peut se justifier, mais le brûler est aussi sacrilège que le projet du riche Japonais.

Au-delà du cas du pétrole, le comportement de l'humanité d'aujourd'hui est scandaleusement destructeur. Faire confiance à la science et à la technique en croyant qu'elles apporteront des réponses aux problèmes que génère ce comportement est une attitude infantile. La finitude de la planète est une donnée qui ne peut être écartée.

Malheureusement, cette évidence n'est guère évoquée par les médias ; ils entretiennent les idées préconçues et remplacent la réflexion par des formules devenues des slogans, telle la notion de croissance, appelant à consommer toujours plus. Or, toute croissance correspond à une évolution exponentielle qui ne peut qu'aboutir à des situations intolérables.

Le passage de chaque individu, de chaque génération, est certes bref, mais peut laisser des traces qui ne s'effaceront pas. Soyons conscients de notre responsabilité face à une Terre que nous risquons de rendre inhospitalière. En fait, ce n'est pas la planète elle-même que nous devons respecter, mais les hommes qu'elle abrite, et surtout qu'elle abritera.

Cette responsabilité est particulièrement évidente pour les architectes. Les bâtiments, logements ou cathédrales qu'ils édifient un jour seront détruits, mais ils auront marqué, parfois pendant de nombreuses années, le milieu dans lequel les hommes évoluent ; ils auront influencé leur esprit, contribué à façonner leur regard sur le monde, sur les autres, sur eux-mêmes.

Une nouvelle vision de l'Homme

Nous nous heurtons souvent aux limites de nos pouvoirs, mais, contrairement aux autres espèces, nous sommes capables d'acquérir des pouvoirs nouveaux et de faire reculer peu à peu ces limites. Au cours du dernier siècle, des bonds en avant ont été accomplis dans de multiples domaines ; nous sommes capables d'exploits qui auraient à peine pu être imaginés. Dans l'enthousiasme de cette merveilleuse dynamique, nous avons entretenu l'illusion que rien ne nous serait interdit. Aujourd'hui, il nous faut admettre que certaines limites sont indépassables, et surtout il nous faut comprendre que certaines avancées techniques représentent des dangers parfois mortels pour notre espèce.

Dès que nos lointains ancêtres ont pris conscience de leur capacité à transformer leur environnement, ils ont accumulé des pouvoirs nouveaux et sont devenus *homo faber*. Tout au long de l'histoire, ils se sont réjouis de chaque progrès. Aujourd'hui, nous devons comprendre que la joie d'un instant apportée par un succès peut se doubler d'une angoisse, car ce succès prépare peut-être un désastre à long terme. L'exemple le plus évident est celui des armes nucléaires, à la fois fantastique réussite de l'intelligence humaine et menace pour l'existence même de l'humanité. De même, les techniques du génie génétique permettant, notamment, le clonage d'un être vivant, nous donnent la possibilité d'agir non seulement sur notre milieu, mais sur la définition biologique de nous-mêmes. Nous ne sommes plus uniquement des *homo faber* mais des *faber hominis*, des « créateurs de l'homme ». Avec quel projet ?

Nous sommes face à la nécessité d'une réflexion éthique nous guidant dans le choix de ce qui, parmi une multitude de possibles, sera effectivement réalisé. Faire un clone humain, donner à un individu un jumeau plus jeune que lui est évidemment un exploit fabuleux, mais dont la finalité ne peut qu'être perverse.

Heureusement, le XXe siècle ne nous a pas seulement apporté des pouvoirs parfois destructeurs, et engagé nos actions dans des impasses. Il nous a aussi donné un regard totalement nouveau sur la réalité qui nous entoure et dont nous faisons partie. Les concepts qui sont à l'origine de ce regard ont été renouvelés, mais ce renouvellement n'est pas encore pris en compte par la plupart de nos contemporains. Il y a pourtant urgence.

Il est coutume, à la fin d'une période, de faire un bilan et de proposer un projet pour la période à venir. La charnière entre le XXe et le XXIe siècle nous incite à ces deux regards.

Scrutant le passé, nous constatons que le rôle de guide de la société est passé à chaque siècle d'un groupe à un autre. Le XVIIIe a été caractérisé par le pouvoir des philosophes. La prise de la Bastille est l'aboutissement d'un changement dans les esprits provoqué par ceux qui avaient osé prendre la parole pour transformer l'ordre établi. Avec leurs mots, les philosophes ont été plus puissants que les ministres du roi avec leurs lois. Le peuple a entendu la voix des élites intellectuelles, et plus seulement celle des élites de la noblesse. On a commencé à écouter les personnes qui avaient des choses intéressantes à dire, même si elles n'étaient pas des rois ou des princes. On a prêté attention à des personnages comme Voltaire ou comme Rousseau, qui n'était qu'un petit bourgeois sans pouvoir, car leurs réflexions étaient ressenties comme fondamentales. Peu de gens savaient lire, mais ceux qui en étaient capables ont transmis et diffusé parmi le peuple les idées qui les avaient enthousiasmés. Ces idées, parce qu'elles concernaient le cœur même de la société, avaient un pouvoir proprement révolutionnaire. Celle qui a dominé et provoqué les bouleversements les plus irréversibles a été celle de l'égalité de toutes les personnes humaines.

Le XIXᵉ siècle a vu, lui, le triomphe des grands patrons d'entreprises qui ont piloté la création de la société industrielle. La production de richesse a été prodigieusement accrue, mais au prix d'une exploitation des travailleurs qui a provoqué la prise de conscience des changements nécessaires. Cette prise de conscience a été bien tardive : ainsi, il a fallu attendre 1841, en France, pour qu'une loi interdise de faire travailler dans les fabriques les enfants de moins de huit ans. L'évidence des réformes nécessaires n'a été acceptée qu'à la fin de ce siècle.

Le XXᵉ a été celui des avancées techniques les plus fabuleuses, avec leur cortège de réussites et de menaces. Mais le changement le plus radical a été le passage du pouvoir des mains des politiques et des industriels vers celles des financiers et des économistes.

Le pouvoir aux économistes

La société occidentale d'aujourd'hui semble faire une confiance totale à un processus que l'on croit capable de résoudre tous les problèmes : l'augmentation de la consommation. Tel un thaumaturge, cette augmentation guérira, nous dit-on, tous nos maux. Consommons toujours plus et tout ira mieux. La prospérité économique est-elle vraiment l'objectif le plus urgent ?

La vie des peuples est réglée par des lois, certaines définies par lui-même, d'autres imposées par la nature, et contre lesquelles il est donc vain de se rebeller. Depuis deux siècles, il est admis que la loi du marché fait partie de ces dernières.

Il s'agit de comprendre comment se trouve défini le paramètre qui permet d'échanger les biens les plus divers, leur prix. Ce prix résulte des tractations sur un marché, réel ou fictif, où ceux qui veulent vendre désirent le faire au prix le plus élevé possible, ceux qui veulent acheter au prix le plus bas. À la longue, ces égoïsmes affrontés aboutissent à un ensemble de prix dont la théorie libérale admet qu'il représente un optimum collectif. L'accumulation des égoïsmes générerait ainsi un équilibre correspondant à la meilleure équivalence entre les divers biens.

On peut montrer que cette conclusion nécessite des conditions (notamment une quantité illimitée de biens à échanger) qui sont loin de correspondre à la réalité. La finitude des ressources de la Terre rend illusoire la réalisation d'un équilibre optimal. L'exemple en est fourni actuellement par l'évolution erratique du prix du baril de pétrole, dont il est impossible d'admettre qu'elle résulte d'un comportement rationnel des divers acteurs.

L'illusion d'un cheminement spontané du système de prix vers un équilibre optimal peut être mise au rang des croyances infantiles. Il suffit de lire quelques livres d'économie pour constater quelles dérives sont possibles lorsque l'on confie aux égoïsmes individuels le soin de piloter la gestion de la collectivité. Un exemple est fourni par les développements concernant la valeur de la vie humaine, paramètre important lorsqu'il faut justifier des dépenses destinées à sauver des vies. Il est clair que cette valeur, variable selon l'âge des personnes et selon leur rôle dans la société, ne peut qu'être arbitraire, ce qui enlève tout sens aux conclusions des raisonnements dans lesquels elle est prise en compte.

Mais la principale limitation de ces raisonnements vient de ce qu'ils ne peuvent concerner que les biens dont la valeur peut être définie. Or, pour de nombreux biens, le simple fait de les considérer comme des objets d'échange est un acte barbare. Il en est ainsi des soins donnés aux malades, et plus généralement de tous les actes que l'on accomplit au nom de la solidarité, et non au nom de l'intérêt. La santé, l'éducation, la justice, la culture sont des *biens,* mais leur valeur ne peut être définie. Dans un monde géré par les économistes, le risque est grand de réduire l'importance de ces secteurs, car, bien que n'ayant pas de valeur, ils ont un coût. L'éducation d'un enfant, la guérison d'une personne âgée sont des biens dont le coût est élevé, mais leur valeur est dépourvue de sens faute de pouvoir les marchander.

Les erreurs de la démarche économique sont aussi patentes à propos du chômage. Diminuer la peine des hommes en utilisant des machines est évidemment un progrès. Le travail a été présenté comme une malédiction divine ; la faire reculer devrait être source de satisfaction pour tous. L'accroissement de la productivité devrait permettre d'améliorer le sort de tous. Une structure sociale aberrante en fait une source de misère et de désespoir pour ceux qui sont exclus du système productif.

Certes, des mesures palliatives sont adoptées qui permettent à ces exclus d'avoir le minimum nécessaire ; grâce au RMI, ils ont de quoi survivre, grâce à la télévision, ils peuvent participer aux jeux de hasard ou visiter, depuis leur fauteuil, le pôle Sud ; mais ils ne vivent ainsi qu'une existence virtuelle.

L'important est de montrer à chacun qu'il n'est pas « de trop ». Par son appartenance à la communauté humaine, il doit être considéré comme une source, non comme une charge. Hélas, notre société est loin de diffuser ce sentiment ; il est temps de comprendre le danger de son autodestruction à travers la violence, la délinquance et la drogue.

II

L'UNIVERS AUTOCRÉATEUR

La durée et le temps

Comme une multitude d'êtres vivants, chaque humain est un élément parmi d'autres du cosmos. Comprendre sa singularité nécessite d'avoir un regard lucide sur ce cosmos. Or, au cours du XXe siècle, cette lucidité a fait des progrès fabuleux grâce aux révolutions conceptuelles que nous avons évoquées. En effet, ce regard dépend plus des concepts forgés par notre intelligence que des informations apportées par nos sens. Même lorsque les mots que nous utilisons pour décrire la réalité sont ceux d'autrefois, l'idée qu'ils expriment aujourd'hui est souvent radicalement nouvelle.

Ainsi, nous comprenons que, depuis le big bang originel, notre Univers est mû par un élan vers toujours plus de complexité, c'est-à-dire qu'il met en place des structures aux éléments toujours plus nombreux et plus divers, et liés par des interactions toujours plus subtiles. Cet accroissement de la complexité entraîne la mise en place de performances nouvelles. L'histoire du cosmos peut donc être racontée comme un cheminement vers des objets plus complexes qui a abouti, localement et provisoirement, à ce sommet de complexité qu'est le cerveau humain.

Cette vision est en contradiction avec les notions admises depuis toujours. L'influence de la Bible nous avait habitués à un Univers stable où rien de vraiment original ne pouvait apparaître ; tout est répétitif et, selon l'Ecclésiaste, « il n'y a jamais rien de nouveau sous le soleil ». Cette stabilité globale était si bien ancrée dans les esprits que même Einstein a été piégé par cette idée reçue. Lorsque, en 1915, il a développé la théorie de la relativité générale, il a appliqué l'équation qui expliquait fort bien le mouvement des planètes autour du Soleil à l'ensemble de l'Univers. Mais il a constaté que cette équation n'avait pas de solution stable ; il en a conclu qu'elle était fausse et l'a modifiée pour obtenir cette stabilité, passant ainsi à côté d'une découverte majeure : l'expansion de l'Univers.

Cette découverte a été faite au cours des années 20, lorsque, grâce à de puissants télescopes, l'astronome Hubble a constaté que l'espace est en expansion : les galaxies s'éloignent les unes des autres d'autant plus rapidement qu'elles sont plus éloignées.

Ce nouveau regard a contribué à remettre en cause le concept de temps dont le déroulement, jusqu'au XXe siècle, était souvent considéré comme un absolu. Une première révolution a été proposée en 1905 par Einstein en vue de résoudre le paradoxe de la constance de la vitesse de la lumière : que la Terre, dans son mouvement autour du Soleil, se rapproche d'une étoile ou, six mois plus tard, s'en éloigne, la vitesse de la lumière qu'elle nous envoie est toujours la même, ce qui est contraire aux principes de base de la physique. Pour expliquer ce constat, Einstein, avec la théorie de la relativité restreinte, a admis que le déroulement du temps n'est pas le même pour deux observateurs selon qu'ils bougent ou non par rapport à l'événement dont la durée est mesurée. La durée d'un voyage est plus courte si nous la mesurons sur notre montre (car elle participe au déplacement) que si nous la mesurons d'après les horloges rencontrées (qui n'y participent pas).

La découverte de l'expansion de l'Univers a contraint à une nouvelle réflexion sur la notion de temps. Cette expansion est certes mesurée par des moyens particulièrement complexes, mais elle peut être considérée comme un résultat d'observation. Il en résulte que, dans le passé, les galaxies étaient plus rapprochées, et, en remontant d'environ quinze milliards d'années, qu'elles étaient initialement toutes dans un même lieu. L'Univers a donc commencé par une explosion, le big bang.

Cette vision est à l'opposé de celle proposée par la Bible, un univers créé il y a quelque dix mille ans et restant identique à lui-même jusqu'à la « fin du monde » qui devait coïncider avec le Jugement dernier. Dans ce contexte, le temps était nécessairement vu comme un destructeur ; il conduisait à la mort. Notre imaginaire a été profondément marqué par cette vision. Aujourd'hui, nous devons constater que le temps est au contraire le grand créateur. Il a pris en charge le cosmos de l'après big bang alors qu'il n'était qu'un chaos, une « bouillie sans grumeaux », puis il l'a conduit jusqu'à son état actuel infiniment plus complexe. Grâce à lui, des objets nouveaux, imprévisibles, sont apparus. Il nous faut voir en lui le constructeur indispensable à la réalisation de toute chose.

Certes, pour chaque individu, le temps est destructeur puisqu'il le mène à sa fin, qu'il aboutit à sa mort. Mais ce rôle local n'est pas incompatible avec son rôle de créateur au niveau global. Rôle auquel nous, les humains, qui sommes conscients de l'avenir, pouvons participer, en étant des cocréateurs.

Une autre réflexion sur le temps provoquée par le concept d'explosion initiale concerne le statut de ce big bang. Est-ce vraiment un événement ? Tout événement sépare un « avant » d'un « après », mais que signifie l'avant-big bang ? Qu'y avait-il dans l'Univers il y a seize milliards d'années ? Répondre « il n'y avait rien » est déjà trop, car ce « il y avait » suppose que le temps existait ; or, le temps ne peut préexister aux événements, il est créé par leur succession. C'est ce qu'exprime la phrase célèbre de saint Augustin : « Si rien ne se passait, il n'y aurait pas de temps passé. » Le big bang étant présenté comme le créateur des choses, celles-ci ne peuvent exister, créer des événements et donc faire se dérouler le temps qu'au sein de l'après-big bang. Celui-ci ne représente pas une frontière entre un avant et un après ; il est le créateur du temps.

Depuis, tout se passe comme si l'Univers s'était transformé en poursuivant un élan qui le propulse toujours dans la même direction : l'accroissement de la complexité.

L'évolution de la Terre

Il se trouve que, sur notre planète, certaines coïncidences favorables ont permis une accélération de ce mouvement ; certains objets, les êtres que l'on dit vivants, ont été les vainqueurs d'une course vers la complexité grâce à la possession d'une molécule, l'ADN.

Apparue il y a quatre milliards et demi d'années, la Terre, en se refroidissant, a permis la formation des océans. Parmi les molécules créées par hasard dans ce milieu, l'une a eu un destin particulier : l'ADN. Elle a en effet le pouvoir de fabriquer un double d'elle-même, donc d'être indestructible. Elle a pu accumuler peu à peu des pouvoirs, y compris celui de savoir gérer la production d'autres molécules, les protéines, réalisées en mettant bout à bout des acides aminés.

Certains des objets ainsi réalisés ont eu la capacité d'utiliser l'énergie solaire, de mettre en place des métabolismes, de dissocier le gaz carbonique, de rejeter l'oxygène ; s'élevant dans l'atmosphère, ce gaz a produit de l'ozone dont la couche, malgré sa minceur, a constitué une protection contre les rayons ultraviolets. Les êtres vivants ont alors pu quitter le milieu aquatique et se répandre sur les terres émergées.

Il y a cinq ou six cents millions d'années sont apparus les premiers végétaux terrestres, les animaux, les premiers amphibiens, les reptiles. Plus tard, il y a deux cents millions d'années, sont venus les dinosaures, puis les mammifères. Récemment, il y a soixante-cinq millions d'années, un changement climatique a provoqué la disparition des dinosaures et donné une chance de développement aux mammifères, notamment aux primates. Enfin, il y a six millions d'années, hier sur l'échelle de l'évolution, un groupe de primates s'est séparé pour aboutir aujourd'hui à deux espèces, les chimpanzés et *Homo*.

Ce résumé très simplifié de l'évolution illustre la réalité d'un monde en permanente transformation, à l'opposé de la vision biblique méconnaissant les transformations profondes que camoufle l'apparente stabilité de l'Univers.

Le big bang

La science d'aujourd'hui s'éloigne délibé-
rément de la réalité apparente. Elle ne cherche
plus à décrire avec précision le monde réel,
mais à expliquer ses transformations en déve-
loppant des modèles logiques dont la validité
est vérifiée par l'expérience. Cette attitude est
notamment celle de la physique quantique, qui
s'efforce de s'approcher de la réalité sans vraiment espérer l'atteindre. La science est un discours obéissant à des règles de logique et de
cohérence, dont les conclusions sont soumises,
à chaque occasion, à une vérification expéri-
mentale, mais qui ne prétend pas donner une
description rigoureuse des objets évoqués.

Il en est ainsi du concept de big bang, terme
proposé par dérision pour définir une théorie
qui camoufle l'incapacité à répondre à l'éter-
nelle question de l'origine : « Comment est né
ce cosmos ? »

Extrapolant dans le passé le fait observé
aujourd'hui de l'expansion, il est raisonnable
d'imaginer une période où la totalité de la masse
de l'Univers était localisée en un seul point où
densité et température étaient infinies. Mais cet
« infini » n'est guère concevable ; les physiciens

préfèrent parler d'une «singularité», c'est-à-dire d'une situation où les caractéristiques normalement définies n'ont plus de sens.

Le grand changement est que notre Univers n'est plus une donnée statique, il se transforme, il a une histoire qui, partant de la bouillie initiale, aboutit à la réalité d'aujourd'hui ; nous en sommes un élément, nous qui pouvons être décrits comme un «grumeau dans la purée universelle». L'objet de la science est alors de décrire ce qui s'est passé depuis cette origine et de comprendre les mécanismes de ce mouvement vers toujours plus de complexité et toujours plus de performances.

L'évolution du cosmos

L'important pour la science est moins de décrire l'inaccessible réalité que d'en comprendre les transformations en décryptant les processus qui les provoquent. Tout aboutissement est provisoire et l'avenir ne peut, à long terme, être déduit de la connaissance du présent ; le scientifique doit donc être modeste et constater son incapacité à répondre à des interrogations fondamentales. Par exemple sur la poursuite de l'expansion actuelle. Deux forces sont en opposition, d'une part l'élan de l'explosion initiale, d'autre part l'attraction gravitationnelle qui tend à ralentir cet élan. Pour savoir laquelle l'emportera, il faudrait connaître la densité de l'Univers. Si elle est très élevée, elle ralentira, puis arrêtera l'expansion, et provoquera un cheminement inverse qui regroupera finalement la totalité de la matière et aboutira à un «big crunch» symétrique du big bang. Si elle est faible, elle ne pourra que laisser l'expansion se poursuivre indéfiniment, à un rythme peu à peu ralenti mais non nul. Cette question, qu'aucun homme des siècles passés ne pouvait poser, reste sans réponse tant que nous ignorons si cette densité est supérieure ou inférieure au seuil décisif.

Il est essentiel de comprendre combien notre conception du cosmos a été bouleversée par les théories nouvelles. Ainsi le concept de gravitation. L'explication proposée par Newton pour expliquer le mouvement des planètes était d'admettre une attraction entre la masse du Soleil et celle de chaque planète. Mais quel est le vecteur de cette mystérieuse attraction? Pour échapper à cette difficulté, Einstein admet que la masse du Soleil provoque une courbure de l'espace qui l'entoure ; la Terre n'est pas attirée par le Soleil, elle va droit devant elle, mais comme l'espace est courbe, ce « droit devant » la ramène à sa position initiale. Pour la plupart des planètes, le passage de la vision de Newton à celle d'Einstein n'apporte rien d'essentiel, mais pour la planète la plus proche du Soleil, Mercure, il permet de comprendre pourquoi l'ellipse qu'elle décrit est elle-même en rotation. La réalité est donc mieux décrite par les équations d'Einstein que par celle de Newton.

Une des conséquences de ces équations est que la présence des masses influence non seulement les caractéristiques de l'espace, mais aussi celles du temps. Au voisinage d'une masse, la courbure de l'espace s'accompagne d'un ralentissement du temps. Ce ralentissement peut être si radical qu'un événement qui ne dure que quelques instants près de cette masse est de durée presque infinie à grande distance. Il faut, pour en arriver à ce paradoxe, que la densité de la masse soit si considérable que l'on a pensé longtemps qu'aucun objet réel ne pouvait remplir cette condition (cette densité correspond à celle d'un objet de la taille d'un dé à coudre dans lequel on aurait fait tenir tous les atomes que comporte la Terre). En fait, leur existence est

maintenant admise, il s'agit des « trous noirs »,
ces astres si denses que la lumière elle-même ne
peut s'en échapper. Au voisinage de tels objets,
le déroulement du temps n'a plus la belle régu-
larité à laquelle nous sommes habitués.

Qu'il s'agisse du temps ou de la matière, les
réflexions d'aujourd'hui à propos du réel qui
nous entoure et dont nous faisons partie n'ont
que peu de points communs avec celles déve-
loppées il y a un siècle. Nous sommes contraints
de constater que notre intuition est le plus souvent trompeuse. Trompeurs également étaient
certains concepts qui ont joué un grand rôle au
XIXᵉ siècle et dont nous constatons aujourd'hui
les limites.

L'entropie

La première classification de l'ensemble
des objets qui composent le cosmos a été proposée au XVIIIᵉ siècle par Linné ; il distinguait
trois ordres : l'ordre minéral, l'ordre végétal et
l'ordre animal, qui comportait notamment
l'homme. Les ordres végétal et animal avaient
de nombreux traits en commun au point que la
frontière entre eux était parfois difficile à

préciser ; en revanche, la séparation entre êtres vivants et objets inanimés était claire.

La spécificité des êtres vivants a été explicitée au cours du XIXᵉ siècle grâce à l'introduction du concept d'entropie par la branche de la physique qu'est la thermodynamique. Cette discipline constate que les transformations qui se produisent spontanément dans une structure matérielle isolée s'accompagnent d'une dégradation de la qualité de l'énergie qu'elle contient. Peu à peu, les formes d'énergie nobles se transforment en énergie de moindre qualité jusqu'au terme où ne subsiste plus que cette forme inférieure d'énergie qu'est la chaleur. Ce constat, connu comme « second théorème de la thermodynamique » ou « théorème de Carnot », est décrit en affirmant que l'« entropie » d'une structure, c'est-à-dire son niveau de désorganisation, ne peut que croître. Il débouche sur une vision fort pessimiste du devenir de notre cosmos : celui-ci ne peut que tendre vers un état de totale désorganisation.

Une telle généralisation n'est cependant nullement rigoureuse, car la dégradation annoncée ne s'impose que pour les structures isolées ; or, rien, autour de nous, n'est strictement isolé. Les êtres vivants en particulier sont caractérisés par des échanges intenses avec leur milieu. Pour être réaliste, il faut donc s'intéresser non aux structures isolées soumises à la croissance de l'entropie, mais aux structures «dissipatives» soumises à l'influence des structures voisines.

On constate que ces objets évoluent parfois non dans le sens d'une destruction progressive, mais dans celui d'un enrichissement, d'une amélioration de leurs performances due à l'augmentation de leur complexité. La capacité des êtres vivants à ne pas subir la loi de l'entropie n'est donc pas un paradoxe, elle est la conséquence de leur «porosité», de l'intensité de leurs échanges avec l'environnement.

Ces mêmes concepts peuvent être utiles pour approfondir la réflexion à propos des structures matérielles que sont les ensembles d'individus, et notamment de leur rassemblement dans des cités. La ville est avant tout un lieu d'échange, de rencontres avec des inconnus. Elle contribue à la construction par chacun de son espace de liberté, car cette liberté est liée à l'absence d'information que les autres ont sur lui. La ville permet des échanges sans que ceux-ci deviennent invasifs; contrairement au petit village où chacun sait tout des autres et ne jouit donc guère de liberté, la ville préserve les anonymats. Mais pour qu'elle reste durablement un lieu de création, il faut qu'elle-même soit une structure poreuse. Pour être définie, elle doit être cernée par une frontière qui crée un critère d'appartenance, qui sépare l'intérieur de l'extérieur, mais cette frontière doit être suffisamment ouverte pour que les apports venant de, et allant vers, l'environnement soient importants. Se précise ainsi le rôle des architectes et des urbanistes qui doivent avoir pour souci premier que les bâtiments qu'ils construisent, les ensembles urbains qu'ils organisent favorisent les échanges entre ceux qui y vivront.

L'humanité, considérée globalement, est clairement une structure isolée (du moins tant qu'elle n'aura pas de contacts avec d'éventuelles civilisations lointaines). Elle ne peut donc bénéficier d'apports extérieurs et doit concentrer son attention sur sa capacité d'autocréation due à sa complexité. L'important pour elle est de préserver cette complexité.

L'évolution vers la complexité

Nous constatons que, depuis quinze milliards d'années, notre cosmos gagne continuellement en complexité. Chaque transformation subie par une structure matérielle provoque soit une déperdition, soit un enrichissement de celle-ci ; dans le premier cas, les performances dont elle est capable se trouvent amoindries, sa capacité à réagir est diminuée, elle risque de disparaître ; dans le second cas, au contraire, ses performances meilleures lui apportent une chance supplémentaire de résister aux aléas de l'environnement et de durer. Ce processus provoque un cheminement global vers toujours plus de complexité.

Cette complexité est fonction à la fois du nombre des éléments de la structure considérée, de leur diversité, et surtout de la qualité des interactions qui rendent ces éléments solidaires. Un mouvement de l'un provoque un mouvement de l'autre qui a une influence sur un troisième… La multitude de ces influences réciproques est représentée par des relations si imbriquées que la prévision des conséquences d'un changement précis intervenant en un point est pratiquement impossible. La complexité entraîne l'imprévisibilité. À la limite, les transformations d'une structure très complexe ne peuvent être comprises qu'en admettant qu'elle participe à son propre devenir, tout en restant soumise aux influences extérieures ; elle est « auto-organisatrice ».

Cette vision de l'évolution du cosmos est rigoureusement matérialiste. À partir de l'Univers homogène issu du big bang se sont peu à peu créés des objets plus riches aux capacités accrues. Un caillou fait de molécules de carbone ou de silicium est bien peu complexe et ne manifeste guère de capacités ; un cristal fait de molécules bien semblables est déjà plus complexe en raison des interactions qui rendent solidaires ces molécules et lui permettent d'engendrer des vibrations régulières ; une bactérie est faite d'atomes sans mystères, mais arrangés en niveaux d'organisation qui donnent à leur ensemble la capacité de mettre en place des métabolismes émerveillant l'observateur. Du caillou à la bactérie, la continuité est parfaite. Certes, nous voyons en celle-ci un être vivant alors que celui-là est un objet inanimé, mais cette distinction traduit surtout notre étonnement devant les possibilités de réaction manifestées par la bactérie. Finalement, la classification adoptée par Linné, qui admettait la distinction de trois ordres bien différenciés, doit être remplacée par l'utilisation d'une échelle de classement continue, l'échelle de la complexité.

Un exemple clair de processus accroissant la complexité et faisant apparaître de nouvelles performances est celui de création de noyaux atomiques de carbone à partir de noyaux d'hélium. Ceux-ci sont formés de deux protons et deux neutrons ; lorsque trois d'entre eux se rencontrent simultanément, les six protons et les six neutrons constituent un noyau de carbone. Or, autant est pauvre la chimie de l'hélium, autant est riche celle du carbone. Cette rencontre ne s'est pas bornée à une addition ; elle a fait apparaître des pouvoirs nouveaux. Assembler, c'est produire de l'inattendu.

Les forces à l'œuvre dans l'Univers

Tous les événements qui se déroulent dans l'Univers sont le résultat de l'action de forces qui, selon les théories actuelles, sont au nombre de quatre : l'attraction gravitationnelle, qui provoque une attirance mutuelle entre tous les objets dotés d'une masse, la force électromagnétique, qui provoque une attirance ou une répulsion entre les objets dotés d'une charge électrique, et deux forces nucléaires agissant sur les constituants des noyaux atomiques. Tous les événements qui se déroulent dans le cosmos sont la résultante du jeu simultané de ces quatre forces.

Il se trouve que leur interaction a eu pour résultat de faire constamment progresser la complexité de cet univers, ce qui ne pouvait être le cas que si un équilibre subtil entre les intensités de ces forces était respecté. Si, par exemple, l'intensité de la force de gravitation avait été plus forte, cette force l'aurait emporté sur les autres et provoqué un rassemblement de tous les objets ayant une masse ; à la longue, ceux-ci auraient constitué un trou noir. Si, au contraire, la force électromagnétique avait été plus intense, elle aurait provoqué la réalisation de molécules très stables, tels l'eau ou le gaz carbonique. Si les forces nucléaires avaient été plus puissantes, elles auraient tendu à produire des atomes stables, tels les atomes de fer. Dans chacun de ces cas, l'aboutissement aurait été un univers homogène. Ce n'est pas ce qui s'est produit. Depuis quinze milliards d'années, ces forces agissent sans que l'une l'ait emporté sur les autres, ce qui provoque un cheminement permanent vers toujours plus de complexité. Comment expliquer une telle réussite ?

La réponse finaliste consiste à admettre que le Créateur a su donner aux forces qu'il a définies les intensités finement ajustées qui devaient conduire à l'état actuel. Mais cette explication, dont on ne peut apporter la preuve ni qu'elle est vraie ni qu'elle est fausse, n'entre pas dans le domaine de la science. Une autre hypothèse est que de multiples univers ont été réalisés. Pour la plupart d'entre eux, l'ajustement des diverses forces a été «raté», et ils n'ont connu aucun enrichissement de complexité; pour d'autres, cet enrichissement a, par chance, été possible; le nôtre est celui qui a gagné la course vers la complexité; la preuve en est la présence de l'humanité.

Ce constat est parfois présenté sous la forme du «principe anthropique» affirmant que notre cosmos avait pour finalité l'apparition de notre espèce. Mais une telle formulation n'est guère compatible avec la règle de base de la science qui l'oblige à ne répondre qu'à des «comment?», jamais à des «pourquoi?». À défaut d'explication plus globale, nous pouvons considérer comme un succès de ramener le jeu multiforme des influences entre éléments de la réalité à l'interaction de seulement quatre forces.

III

L'ABOUTISSEMENT PROVISOIRE : *HOMO*

L'ADN

La seule planète du système solaire dont la distance au Soleil permette la présence durable d'eau liquide est la Terre. Cette eau a été le milieu dans lequel ont pu se produire une multitude de combinaisons créant des structures matérielles ayant chacune sa spécificité et ses pouvoirs. Mais si remarquables soient ceux-ci, un jour, la structure est détruite et l'avancée vers plus de complexité qu'elle représentait est anéantie. Cette succession de progrès et de reculs, une seule molécule, nous l'avons vu, a été capable d'y échapper, l'ADN. La compréhension de son rôle, au cours des années 50, a remis en cause la distinction entre les objets dits « inanimés » et les êtres dits « vivants ».

L'ADN, grâce à sa structure en double brin (cf. chapitre II, « L'évolution de la Terre »), est le seul objet capable de se reproduire, donc de déjouer le pouvoir destructeur du temps et de participer à son élan créateur. Au cours de cette reproduction, des erreurs sont parfois commises, réalisant une molécule nouvelle dotée par chance de pouvoirs autres. L'accumulation de telles « mutations » a notamment abouti à la capacité de l'ADN à gérer la fabrication de protéines, grâce à l'intervention de molécules d'ARN qui définissent une correspondance, le « code génétique », entre la structure de l'ADN et celle de la protéine. Le constat que ce code est le même pour tous les êtres vivants est une preuve décisive de leur origine commune ; bactéries, végétaux, animaux, humains, tous sont l'aboutissement d'une évolution qui a commencé avec la réalisation de l'ADN, il y a plus de trois milliards d'années.

Les protéines ainsi créées interagissent les unes avec les autres et mettent en place des processus, les métabolismes, qui permettent à ces ensembles de molécules de respirer, digérer, réagir, c'est-à-dire de « vivre ».

Par leurs métabolismes, ces « êtres vivants » ont modifié le milieu qui leur était fourni par la nature. Parmi les premiers d'entre eux, les algues bleues ont transformé la composition de l'atmosphère, composée à l'origine principalement de gaz carbonique et de méthane. Elles ont dissocié les molécules de gaz carbonique, gardé le carbone et rejeté l'oxygène. Certes, chacune était minuscule, la quantité d'oxygène qu'elle rejetait insignifiante face à l'immensité de l'atmosphère, mais elles ont été si nombreuses, et cela a duré si longtemps, que l'atmosphère en a été modifiée ; la proportion d'oxygène y a atteint un cinquième, ce qui rendait cet air irrespirable pour les bactéries initiales.

Mais simultanément, cet oxygène, s'élevant dans l'atmosphère, a été transformé partiellement en ozone et a mis en place une couche protectrice qui arrête les rayons ultraviolets venus du Soleil. Ainsi protégés, les êtres vivants ont pu abandonner le milieu aquatique, explorer les terres émergées et bifurquer vers de nouvelles aventures. L'évolution n'a pas été le résultat de la seule nature, elle a été influencée par les êtres que celle-ci avait créés.

De la reproduction à la procréation

Durant plus de trois milliards d'années, le processus de la reproduction a été le seul vecteur de l'évolution. Mais se reproduire ne fournit que des êtres semblables ; les seules novations sont celles apportées par les rares erreurs de duplication. L'évolution aurait été une impasse si n'était pas intervenu un mécanisme totalement différent. Au lieu du processus initial où un individu devient deux, deux individus coopèrent pour produire un.

Ce processus est si contraire à la logique élémentaire que les philosophes grecs en ont nié la réalité : un « individu » étant un être « indivisible » ne peut avoir deux sources ; il ne peut en avoir qu'une ; derrière l'apparence de la double source se cache la réalité de la source unique. Nous savons maintenant que ce raisonnement était erroné, mais il est intéressant de comprendre les conséquences de cette erreur.

Pour notre propre espèce, il s'agissait d'admettre que chaque individu n'avait qu'un géniteur, lequel ? Le père ou la mère ? Comme une évidence, les Grecs ont admis que c'était le père, ce qui implique une société où les femmes sont soumises aux hommes ; ceux-ci sont des citoyens, tandis que les femmes ne sont que des auxiliaires pour la procréation ; elles n'apportent rien à la génération suivante. Cet exemple montre combien une erreur scientifique peut avoir de conséquence pour la structure sociale.

Ce n'est qu'en 1865 que Mendel, à la suite d'expériences menées d'abord sur les souris puis sur les pois, a découvert la réalité du processus de la procréation, et ce n'est qu'au début du XXe siècle que sa découverte a enfin été comprise. La révolution conceptuelle qu'il propose consiste à admettre qu'un être appartenant à une espèce sexuée est à double commande ; pour chacune de ses caractéristiques, il possède non pas une, mais deux informations, les « gènes ». Il n'est pas un « individu », il est proprement un « dividu ». Pour procréer, il passe par l'intermédiaire d'un gamète (spermatozoïde ou ovule) auquel il ne transmet que la moitié de ce qu'il avait lui-même reçu. L'essence de la procréation est l'intervention d'un tirage au sort qui désigne la moitié transmise. Ce tirage au sort repose sur une combinatoire apportant un nombre pratiquement infini de résultats possibles. L'être engendré ne reproduit aucun de ses géniteurs, il est nouveau, imprévisible.

Il est donc possible de présenter la procréation comme un événement qui met en jeu non pas trois personnages : papa, maman, l'enfant, mais cinq, en ajoutant les deux acteurs essentiels que sont les gamètes.

Pour comprendre la capacité de ce mécanisme à faire apparaître du nouveau, des exemples sont utiles. Imaginons un homme désirant constituer la panoplie complète des spermatozoïdes qu'il est capable de produire, un de chaque. Sachant que dix millions d'entre eux occupent un centimètre cube, quelle serait la taille de la valise où ranger cette panoplie ? La réponse est incroyable : la valise serait des milliards de fois plus grande que l'espace où se meuvent les galaxies les plus lointaines. En effet, chaque homme est hétérozygote, c'est-à-dire qu'il a reçu deux gènes différents pour au moins un millier de caractéristiques ; le nombre des gamètes possibles est donc de deux puissance mille, soit un nombre qui s'écrit avec trois cents chiffres. Or, une sphère de quinze milliards d'années-lumière de rayon ne peut contenir qu'un nombre de spermatozoïdes inférieur à dix puissance cent.

Procréer est donc choisir un gamète parmi une collection si fabuleusement riche que toute prévision est illusoire.

Le passage de la reproduction, qui produit des copies, à la procréation, qui produit des nouveautés, a accéléré de façon décisive l'évolution des êtres vivants.

L'évolution

La première théorie de l'évolution a été proposée par Lamarck au début du XIXᵉ siècle ; pour lui, le mécanisme en jeu résultait de la transmission des caractères acquis. L'exemple classique est celui de la girafe dont le cou s'allonge au cours de sa vie dans ses efforts pour atteindre les feuilles les plus hautes, et dont cette longueur accrue est transmise à sa descendance. Une théorie plus élaborée a été avancée par Darwin au milieu du siècle ; pour lui, le moteur des transformations d'une espèce au fil des générations est la sélection naturelle. Reprenant l'exemple des girafes, ce processus résulte du fait que les individus qui, par chance, ont un cou plus long peuvent mieux se nourrir, et ont donc une plus grande probabilité de survivre jusqu'à l'âge procréateur. Pour Darwin, la compétition est la loi de la nature ; c'est grâce à elle que les espèces s'adaptent et progressent.

Ces théories se sont heurtées à la croyance «fixiste» en un monde stable définitivement identique à l'état voulu par Dieu lors de la création. Aujourd'hui, les preuves en faveur de la transformation et de la différenciation des espèces à partir d'une origine commune se sont accumulées au point que seules quelques sectes intégristes s'opposent à cette évidence. Ce ne sont pas seulement les êtres dits vivants, mais la totalité des objets présents dans le cosmos qui sont regroupés au sein d'un unique arbre généalogique. Étrangement, cette vision rejoint l'intuition de François d'Assise : il évoquait «nos frères les oiseaux», ce qui anticipait la théorie de Darwin, mais il évoquait aussi «notre petite sœur l'eau», étendant la famille humaine aux animaux, aux végétaux, aux bactéries, aux gouttes d'eau.

Pour fonder des hypothèses sur l'évolution, il est nécessaire de classer les objets étudiés, c'est-à-dire de définir des catégories auxquelles les affecter. Nous avons évoqué la première classification, celle de Linné. Il distinguait d'abord deux «règnes», les animaux et les végétaux, puis, à l'intérieur de chacun, des «classes» (ainsi, les mammifères), puis des «ordres» (ainsi, les carnivores), enfin les genres et les espèces. Cette dernière catégorie a une définition précise : appartiennent à une même espèce les animaux capables de procréer ensemble. En revanche, les critères de classement pour les autres catégories sont plus flous. Des méthodes ont été mises au point pour tenir compte simultanément de l'ensemble des ressemblances et des différences entre espèces au moyen de « distances » permettant de les regrouper.

Jusqu'au début du XXe siècle, seules pouvaient être prises en compte les caractéristiques apparentes ; maintenant, nous pouvons tenir compte des informations précises que sont les gènes des divers systèmes (par exemple sanguins) mis en évidence par les biochimistes. Malgré la diversité des méthodes utilisées, les recherches actuelles confirment pour une grande part les hypothèses des naturalistes d'autrefois, ce qui montre l'existence d'une réalité peu à peu mise au jour.

Si le fait de l'évolution ne fait plus de doute, le moteur qui l'a provoquée reste objet de discussions. Pour Darwin, il s'agissait de la sélection naturelle. Mais son raisonnement ne pouvait être réaliste, car il ignorait la nature du processus de transmission d'une génération à la

suivante. Il ne pouvait que reprendre les hypothèses de Lamarck sur la transmission des
caractères acquis en y ajoutant l'élimination des
caractéristiques défavorables.

Toute la théorie a dû être repensée lorsque
l'on a compris, à la suite de Mendel, que chaque
géniteur ne transmet pas ses caractéristiques,
mais la moitié des gènes qui gouvernent celles-
ci. Si nous avons tel système sanguin, cela est
dû à la présence dans notre dotation génétique
de deux gènes, dont un seul est fourni à chacun
de nos descendants. L'adage « tel père, tel fils »
est donc trompeur ; le fils peut être différent et
de son père et de sa mère.

L'inné et l'acquis

Finalement, la révolution conceptuelle la plus
importante du XIXᵉ siècle n'a pas été apportée
par Lamarck ou Darwin, mais par Mendel. Malheureusement, sa découverte est restée ignorée
pendant trente ans. Le constat que le processus
de la procréation ne concerne pas ce qui est
visible mais les gènes qui en sont responsables
bouleverse la problématique de l'inné et de
l'acquis.

Selon l'étymologie, l'inné est l'ensemble de ce que l'individu reçoit à la naissance. Cependant, à ce moment, une histoire longue de neuf mois s'est déjà déroulée. Une définition plus rigoureuse admet donc que l'inné est l'ensemble de ce que chacun reçoit lors de sa conception ; l'acquis est tout le reste. L'inné est ce que la nature nous a donné au départ, l'acquis tout ce qui nous a été apporté par notre aventure, y compris durant les neuf mois de vie fœtale.

Le fait que la vision mendélienne est une révolution conceptuelle est mis en évidence par l'erreur fondamentale commise par les représentations classiques des généalogies. Le père y est représenté par un carré, la mère par un cercle ; une ligne horizontale signifie qu'ils ont procréé ensemble. De cette ligne part une ligne verticale joignant une seconde ligne horizontale à laquelle sont accrochés leurs enfants. Ce dessin fait passer l'idée que le patrimoine des parents a été partagé entre les enfants ; ce qui est vrai pour les propriétés ou la fortune, mais qui est faux pour le patrimoine génétique. Celui-ci est transmis indépendamment à chaque descendant : un gène fourni à l'aîné peut l'être aussi au cadet.

La remise en cause imposée par Mendel oblige à repenser les leçons que nos sociétés ont tirées du darwinisme. Admettant que le moteur des changements était la victoire des plus forts et l'élimination des faibles, elles ont transposé ce mécanisme dans l'organisation de la société. Or, la réalité est beaucoup plus nuancée. Les «ratés», ceux qui souffrent de handicaps, peuvent apporter des différences bénéfiques pour tous; ils ne savent pas faire ce que les autres savent faire, mais ils savent parfois faire ce que les autres ne savent pas faire.

La victoire des handicapés

Une part non négligeable de l'évolution est le résultat de la victoire non des «meilleurs», mais des «ratés». Pour que les espèces puissent s'adapter à un environnement changeant, il a fallu qu'elles créent des êtres ayant des caractéristiques inédites, capables d'explorer de nouvelles voies. Les premiers poissons qui ont osé sortir du milieu aquatique avaient certes un comportement anormal, mais ils ont été à l'origine de la conquête des terres émergées. Les hommes représentent un bel exemple d'échec aboutissant à une victoire. Ils se sont séparés des chimpanzés il y a quelque six millions d'années. Les deux espèces se sont peu à peu différenciées en raison de l'accumulation de mutations différentes qui les ont fait diverger.

Nous ignorons pourquoi une barrière s'est élevée entre ces deux espèces empêchant le transfert de ces mutations de l'une à l'autre ; il ne s'agit à coup sûr pas d'une barrière géographique ; nos ancêtres et ceux des chimpanzés vivaient dans les mêmes forêts tropicales. Une hypothèse pittoresque a été proposée par certains biologistes tirant les conséquences du constat suivant : les hommes sont les seuls primates dépourvus d'un os, le *baculum*, situé dans le pénis. La séparation de notre espèce a pu être provoquée par cette mutation qui, concernant les organes de la copulation, a empêché le transfert du matériel génétique entre le groupe dont les mâles possédaient cet os et le groupe dont les mâles en étaient dépourvus.

À la longue, d'autres différences sont apparues comme la perte par nos ancêtres de la capacité à sauter de branche en branche. Tant qu'elle est restée dans la forêt, notre espèce était donc défavorisée ; mais la sélection naturelle n'a pas été trop cruelle, et elle a pu survivre jusqu'à l'époque où un changement de climat a bouleversé les conditions de vie.

Ce changement est intervenu il y a environ trois millions d'années par suite de la fermeture du passage entre l'Atlantique et le Pacifique ; des éruptions volcaniques ont créé l'isthme de Panama, empêchant les eaux chaudes de l'Atlantique d'aller se déverser dans le Pacifique ; poussées par les vents alizés, elles ont remonté le long des côtes de l'Amérique du Nord, ont côtoyé le Groenland et sont revenues vers le sud, créant le Gulf Stream. Celui-ci a apporté de l'humidité sur l'Afrique et rendu la savane plus fertile. Nos ancêtres ont alors pu quitter la forêt et profiter d'un milieu où leur capacité à la tenue verticale et à la marche était un avantage décisif. Ils n'ont plus été en compétition avec les autres primates et ont pu explorer des voies évolutives originales.

Parmi les changements provoqués par les mutations, l'un aurait pu entraîner la fin de l'aventure : l'hypertrophie cérébrale. Une programmation « erronée » provoque la mise en place par le fœtus humain de dix ou vingt fois plus de neurones que chez un primate normal. Le cerveau est si gros qu'il est incompatible avec la taille du bassin maternel. D'où la nécessité d'une naissance prématurée. Au terme d'une gestation de neuf mois, le nouveau-né est dépourvu de la moindre autonomie, ce qui rend sa survie très aléatoire.

Les mutations responsables de cette mésaventure pouvaient être considérées comme catastrophiques, mais cette catastrophe s'est transformée en un avantage : le handicap d'un cerveau trop gros est devenu la chance d'un cerveau très gros. Riche de plus de cent milliards de neurones, connectés chacun (à partir de la puberté) à dix mille autres, notre cerveau, avec son million de milliards de synapses, peut être regardé comme l'objet le plus complexe réalisé par le cosmos.

Comme nous l'avons évoqué, la complexité d'une structure matérielle est la caractéristique lui permettant de manifester des performances nouvelles. Étant l'objet le plus complexe, le cerveau humain est celui dont les pouvoirs sont les plus fabuleux.

Dans notre recherche d'une définition de l'Homme, on peut se contenter de la description des organes ou de l'énumération des gènes transmis entre les générations ; il est plus éclairant de préciser les performances dont il est capable. Ce qu'il sait faire dans le domaine intellectuel – se poser des questions, imaginer des réponses, comprendre, expliquer... – est sans commune mesure avec ce que savent faire les animaux. Sa complexité a dépassé des niveaux tels qu'il est même capable de s'auto-construire, c'est-à-dire de participer à sa propre transformation. L'état d'un cerveau en un instant donné est l'aboutissement de son propre fonctionnement. Tel que la nature l'a produit, il est à la fois aléatoire et redondant. Aléatoire, car le patrimoine génétique est beaucoup trop pauvre pour spécifier la structure d'un ensemble aussi riche ; il est donc construit avec des plans très peu détaillés. Redondant, car la manifestation de l'intelligence ne requiert qu'une partie des combinaisons neuronales disponibles.

L'intelligence

En prononçant ce mot, l'on évoque de multiples activités qui impliquent évidemment notre cerveau, mais qui dépendent aussi de l'ensemble de l'organisme ; l'émotivité fait partie de l'intelligence. Celle-ci est par nature multidimensionnelle. Mais cette multidimen-

sionnalité est à l'opposé de la paresse intellectuelle qui nous incite à tout mesurer au moyen
d'une échelle unique. C'est ce qu'ont fait
certains psychologues en proposant de rempla-
cer ce concept par celui de «quotient intellectuel». Il est alors possible de répondre à la
question «telle intelligence est-elle supérieure
à telle autre?», mais au prix d'une véritable tra-
hison du sens des mots. Il ne s'agit plus de l'intelligence, mais du résultat d'épreuves – les
tests – dont le critère de réussite est principalement la vitesse. Or, cette vitesse est certes une
qualité dans la société occidentale telle qu'elle
est aujourd'hui, mais elle ne représente nullement la valeur suprême si on comprend dans
l'intelligence l'imagination, l'émotion, la création, l'interrogation sur soi-même, le doute.

C'est à propos de l'intelligence que se pose
avec le plus d'acuité la question de l'inné et de
l'acquis. Pour des raisons idéologiques, il est
tentant d'admettre que toute cette activité
résulte des dons de la nature, ou au contraire
que l'essentiel résulte de l'aventure vécue. L'expérience idéale pour trancher entre ces deux
thèses serait de comparer des vrais jumeaux
élevés dans des conditions très différentes.
Mais le nombre des cas observés avec rigueur

est trop faible pour permettre une conclusion. Une étude bien documentée a été publiée par l'INSERM, un institut français de recherche médicale. Trente-cinq enfants nés dans des familles de statut social très bas et adoptés par des familles de niveau élevé ont été suivis tout au long de leur scolarité, et leurs parcours ont été comparés à ceux de leurs trente-neuf frères et sœurs restés dans leurs familles d'origine. Parmi les premiers, un seul échec scolaire grave a été constaté, parmi les seconds, douze. Il est clair que le développement intellectuel conditionnant l'insertion dans la société dépend plus des conditions de vie des enfants que de leur patrimoine génétique. Les gènes peuvent être responsables de cas pathologiques, mais ils n'ont guère d'influence sur la construction fine de l'intelligence.

L'ordre et le désordre

Le désir d'associer un nombre à un concept aussi peu clairement défini que l'intelligence résulte du besoin permanent de hiérarchie. Notre société, c'est une de ses caractéristiques négatives, est obsédée par cette notion, liée à celle d'ordre. Nous avons vu à propos de l'entropie que, dans toute structure isolée, peu à peu, le désordre s'installe ; l'aboutissement inéluctable est le mouvement aléatoire de toutes les particules ; la seule forme restante d'énergie est alors la chaleur.

Trop facilement, nous attribuons aux deux termes « ordre » et « désordre » un jugement de valeur, le premier a une connotation positive, le second négative ; mais cette attitude mérite une remise en cause.

Il suffit, pour y être contraint, de contempler la « ville idéale » peinte par Francesco Di Giorgio Martini. Tout y est dans un ordre parfait ; mais rien n'y bouge : pas une silhouette d'homme, pas l'ombre d'un chat, rien n'y vit. L'ordre est absolu, mais il est équivalent à la mort. Aucune image ne peut mieux illustrer la remarque de Paul Valéry : « Deux dangers nous menacent : le désordre et l'ordre. » Nous sommes tous facilement d'accord pour lutter contre la menace qu'apporte le désordre. Nous devons aussi nous méfier de la menace contenue dans la recherche de l'ordre parfait. Le désordre est l'offensive de la mort ; l'ordre est sa victoire. Dans une société telle que la nôtre, si prête à glorifier l'ordre, il est important d'apporter un peu de désordre, car la vie est un juste équilibre entre l'un et l'autre.

L'instauration d'une hiérarchie est une des conséquences du désir d'ordre. Le cas limite est celui de l'organisation de l'armée qui ne laisse aucune place à l'aléatoire dans la transmission des consignes entre celui qui commande et celui qui exécute. Cette organisation militaire fascine par son efficacité et constitue un modèle qui, hélas, est facilement transposé dans d'autres domaines, y compris l'enseignement. Trop souvent, les professeurs admettent qu'une de leurs fonctions est de hiérarchiser leurs élèves, du meilleur au moins bon. Or, cet ordre ne peut être défini que si ces élèves sont caractérisés par un seul nombre, que s'ils sont unidimensionnalisés, et donc si leur réalité est trahie.

Certes, il peut être nécessaire d'accepter une hiérarchie de fonctions, donnant à l'un, dans un domaine défini, autorité sur l'autre, mais cette hiérarchie ne suppose nullement une hiérarchie des valeurs humaines.

Enfin, notons que classer n'implique pas de hiérarchiser. Tout effort de compréhension implique un classement des divers objets étudiés. Mais ce classement, par exemple celui des êtres vivants tel qu'il a été proposé par les taxo-

nomistes, consiste à créer des catégories emboî-
tées les unes dans les autres correspondant à des
critères plus ou moins arbitraires. Un ordre est
ainsi créé dans la représentation d'un ensemble
apparemment hétéroclite, mais la réalité reste
l'infini désordre d'une multitude d'objets tous
uniques.

Les espèces et les races

De toutes les espèces, celle qui nous inté-
resse le plus est évidemment la nôtre. Comme
elle est constituée d'individus très divers, c'est
une bonne méthode de tenter de les classer en
ensembles plus ou moins homogènes, c'est-à-
dire de définir des races.

Par ce mot, nous évoquons une réalité qui n'a
de sens que si les ressemblances qui fondent ce
classement sont transmises de génération en
génération. Or, nous savons maintenant que
cette transmission est réalisée sous la forme
d'une dotation génétique ; c'est donc en fonction du contenu de cette dotation qu'il faut
définir des races.

Mais cette compréhension est récente ; les
scientifiques des siècles passés ne pouvaient

raisonner qu'en admettant la transmission des caractéristiques apparentes ; leurs conclusions ont dû être revues à la lumière des concepts apportés par la génétique. Celle-ci permet de fixer une problématique rigoureuse pour définir les races.

La première étape consiste à décrire la dotation génétique de chacune des populations appartenant à l'espèce étudiée. Cette description précise la fréquence de chaque gène considéré. On constate alors que la plupart des gènes sont présents dans la plupart des populations, les différences entre celles-ci ne consistant pas en un constat de présence ou d'absence, mais en des fréquences inégales.

La deuxième étape consiste à caractériser la différence entre deux populations au moyen d'une distance génétique faisant la synthèse des différences de fréquences pour tous les gènes étudiés.

Enfin, la troisième étape consiste à regrouper dans une même race les populations dont la distance génétique est faible, et dans des races différentes celles pour lesquelles cette distance est grande.

Appliquée aux populations de chiens ou de bovins, cette méthode permet de définir sans ambiguïté les diverses races. Appliquée à notre espèce, elle ne permet pas de conclure. Certes, les diverses populations ont des dotations génétiques différentes, mais les distances entre elles sont trop faibles pour permettre de faire des regroupements qui ne soient pas arbitraires. Le concept de race est donc non opérationnel pour l'espèce humaine.

La génétique permet d'expliquer ce constat : pour qu'une population soit dotée d'un patrimoine génétique assez différent de ceux des autres, il faut qu'elle reste isolée durant un nombre de générations supérieur à son effectif moyen, et que cet isolement soit rigoureux. Si une centaine de femmes et d'hommes s'installent sur une île et restent rigoureusement isolés du continent, il est probable que dans quatre mille ans, leur patrimoine génétique fera de leurs descendants une race distincte. Il se trouve que dans notre espèce, un tel isolement ne s'est pas produit pour les populations actuelles.

Cela ne signifie pas que tous les hommes ont le même patrimoine génétique : un Suédois et un Sénégalais sont facilement identifiables, mais la similitude génétique permet de passer de façon continue de la Suède au Sénégal.

Si les races humaines ne peuvent être définies, comment le racisme peut-il encore se
manifester ? En fait, il s'agit d'une attitude qui
n'a rien à voir avec la réalité biologique. Ce
comportement exprime avant tout une peur
de l'« autre » considéré comme dangereux en
raison de sa différence, et une dissimulation
de cette peur par l'affichage d'un mépris.

La raison voudrait pourtant que, face à cette
différence, nous manifestions non une tolérance
qui ne serait qu'un mépris déguisé, mais un
accueil qui remercie l'autre de la richesse
apportée par son altérité.

Chacun peut le ressentir à l'occasion d'une
rencontre. Allez à Auvers, pas bien loin de
Paris, et montez jusqu'au cimetière ; la tombe
de Vincent et de son frère Théo est contre le
mur qui vous sépare d'un champ de blé, le
champ où, désespéré, il s'est un jour suicidé.
Nos yeux voient ce champ tel qu'il est aujour-
d'hui, soleil ou pluie ; notre esprit ne peut voir
que *Le Champ de blé aux corbeaux*, ce tableau
obsédant peint quelques jours avant sa mort.
Ce petit morceau de mon pays ne m'a pas été
donné par la nature ; il est un cadeau de Van
Gogh, qui a pourtant été si mal accueilli car,
sous tant d'aspects, il était *autre*.

Pour combattre le racisme, les raisonnements génétiques sont de peu de poids. L'important est de comprendre que la construction de chaque personne nécessite la rencontre des autres ; ceux-ci doivent donc être regardés comme des sources, et non comme des adversaires. Malheureusement, notre société a mis en place un système économique fondé sur la compétition, c'est-à-dire la lutte des uns contre les autres ; peut-être faut-il voir dans ce choix la source du racisme et de ses terribles conséquences.

IV

DE L'INDIVIDU À LA PERSONNE

La nécessaire conscience

Jusqu'au milieu du XXᵉ siècle, nous avons considéré tout nouveau pouvoir nous permettant de transformer notre environnement comme un progrès humain. Nous avons rarement remis cette évidence en question ; nous y sommes maintenant obligés devant le développement extraordinaire de nos capacités d'action, et ce nouveau regard constitue un changement profond du parcours de l'aventure humaine.

À la façon de Prométhée découvrant le feu, nous nous sommes réjouis de chaque progrès. Selon la mythologie grecque, Zeus, créant le monde, avait prudemment caché aux hommes le secret du feu. Prométhée le leur a dévoilé et en a été puni. Nous pourrions métaphoriquement identifier les scientifiques à Zeus et les techniciens à Prométhée ; les premiers proposent des concepts permettant d'expliquer le cosmos, les seconds apportent la capacité à le transformer. Pour le philosophe Francis Bacon, au XVIIe siècle, le but de la science et de la technique était de réaliser tout ce qui était rendu possible par notre compréhension. À cette philosophie optimiste, nous sommes obligés de substituer celle d'Einstein affirmant, le soir de Hiroshima : « Il y a des choses qu'il vaudrait mieux ne pas faire. » Nous ne devons plus nous permettre d'utiliser aveuglément les moyens que nous nous donnons. La bombe nucléaire en est un exemple extrême. En découvrant le mystère de l'énergie présente dans la matière, nous nous sommes donné des pouvoirs que nous ne devons utiliser qu'en les maîtrisant. Il en est de même pour la découverte du mystère des processus qui se déroulent chez les êtres vivants. Comment résoudre les problèmes éthiques posés par la manipulation du patrimoine génétique ?

Au cours de l'histoire, une des rares occasions où, face à un progrès technique, la question a été posée de renoncer à l'utiliser a été provoquée par la mise au point de l'arbalète, arme beaucoup plus efficace que l'arc. Au cours d'un concile, en 1139, l'Église romaine

a interdit son usage dans les guerres entre chrétiens, mais l'a permis contre des ennemis non
chrétiens. Même si la réponse nous fait sourire,
constatons que la question a du moins été
posée.

L'important aujourd'hui n'est pas d'accé-
lérer les avancées techniques, mais de les orienter en fonction d'objectifs éthiques. Prenons
l'exemple controversé du clonage. La célèbre
brebis Dolly a montré qu'il est possible de faire
agir la totalité des gènes présents dans le noyau
d'une cellule, donc de ramener ce patrimoine
à l'état qui était le sien lors de la conception,
et de réaliser un double de l'individu. La
compréhension des mécanismes en action au
sein des êtres vivants nous permet d'intervenir
à tous les niveaux : ce qui se produit dans le
secret des organes sexuels est maintenant
observé dans tous les détails. Nous avons le
pouvoir de prendre en main, de transformer la
réalité biologique des êtres vivants, y compris
nous-mêmes. Nous sommes passés du rôle
passif de spectateurs au rôle actif d'acteurs ;
nous devenons des cocréateurs.

Des phénomènes évolutifs qui nécessitaient
des milliers de générations, des innovations que
la nature ne produisait que par erreur sont

maintenant réalisables à volonté et rapidement dans les laboratoires. Les êtres vivants ne sont que des choses, la frontière entre l'inanimé et le vivant s'estompe, que devient alors la spécificité humaine ?

Cette spécificité ne peut guère être définie par notre dotation génétique, si proche de celle des autres primates. C'est en s'interrogeant sur l'origine de la conscience qu'une réponse peut être proposée.

Cette conscience nous est permise par la richesse fabuleuse de notre cerveau (voir, dans le chapitre III, « La victoire des handicapés »). Il représente l'objet le plus complexe et jouit de ce fait de performances inouïes, notamment la capacité de comprendre et de transformer le monde.

Mais surtout, cette complexité nous a permis de mettre en place un réseau de communications entre les hommes qui fait de leur ensemble, l'humanité, la seule structure qui soit plus complexe que chaque individu, et qui peut, par conséquent, avoir des performances supérieures. Parmi ces performances, la plus décisive est de permettre à chacun non seulement d'être, mais de se savoir être, d'être conscient, de parvenir à dire « je ».

La clef de la spécificité humaine est donc l'utilisation de nos performances intellectuelles pour créer le surhomme qu'est la communauté des hommes. Cette communauté opère en chacun une métamorphose plus étrange que celle de la chenille devenant papillon : le passage de l'individu créé par la nature en une personne créée par la rencontre des autres.

Pour qu'un individu devienne un homme, pour qu'en lui émerge une personne, il faut qu'il soit immergé dans une collectivité. C'est grâce aux regards des autres que chacun devient lui-même et est en droit d'exiger le respect. Nous devons donc mettre en place une société où chacun regardera tout autre non comme un obstacle, mais comme une source.

Le rôle du projet

Dans notre univers, seuls interviennent le présent et le passé ; l'avenir n'existe pas. À chaque instant, les événements se déroulent en fonction de l'état actuel des choses, non en vue de réaliser un état futur. Seuls les hommes font exception : ils ont découvert que demain sera et prennent des décisions aujourd'hui en fonction de ce qu'ils désirent pour demain. Ce faisant, ils ont inversé le rôle du temps. Alors que tout ce qui peuple l'Univers subit les contraintes de l'état des choses présent, les hommes, grâce à la richesse fabuleuse de leur système nerveux central, ont eu l'idée fantastique d'inventer le concept d'avenir.

Du coup, leur statut dans le cosmos a été transformé. Au lieu de seulement subir les forces en action, ils ont pour rôle de les orienter, de choisir, de décider ce qui est bien et ce qui est mal, de construire une éthique. La morale est nécessitée par la possibilité du projet.

Ce constat doit être d'autant plus pris au sérieux que les avancées techniques ont rendu solidaires tous les hommes de la planète. Les choix collectifs doivent maintenant être « mondialisés ». La véritable mondialisation ne doit pas être celle de la finance ou du commerce, elle doit être celle de la culture, à condition de préserver la diversité et le respect des différences. Autrement dit, il faut mettre en place une démocratie planétaire de l'éthique.

Parmi les devoirs nouveaux qui s'imposent aux hommes d'aujourd'hui, l'un des plus urgents est la gestion raisonnée de leur effectif. Jusqu'à il y a quelques siècles, la nécessité était de préserver la survie de l'espèce en luttant contre l'excès de la mortalité. Cette lutte est maintenant victorieuse, du coup, le danger s'est inversé, c'est l'excès de naissances qui est devenu une menace. Le nombre des hommes, relativement stable jusqu'à la Renaissance, a connu depuis une croissance exponentielle, qui s'est accélérée durant la seconde moitié du XXe siècle en raison des succès remportés dans la lutte contre la mortalité infantile. Notre attitude envers la procréation doit désormais être inversée : elle était un devoir, elle devient un droit limité.

Un tel retournement, une telle révolution, s'impose dans de multiples domaines ; nous n'y sommes guère prêts, mais l'effort intellectuel qu'implique le raisonnement scientifique peut nous y aider. La science consiste en effet à aller au-delà des informations fournies par nos sens. Imaginer que la boule de feu qui se lève chaque matin est une étoile autour de laquelle nous tournons a exigé des siècles de réflexion. Ce n'est que bien récemment que nous avons compris la source de l'énergie qu'elle rayonne. Le Soleil est un concept inventé par les hommes ; de même les protons, les quarks ou les trous noirs ; leur existence, définitivement cachée à ceux qui se contentent de leurs sensations, nous est révélée par notre capacité de raisonner. La connaissance est la naissance, en nous, d'une représentation du monde.

Pour la construire, la science s'impose quelques règles ; notamment, elle récuse les raisonnements finalistes expliquant ce qui se passe aujourd'hui en fonction de ce qui se produira demain, pour la bonne raison que demain n'existe pas. Tout doit être expliqué par des «parce que», non par des «pour que».

La connaissance toujours améliorée du cosmos est la grande tâche humaine, sa prouesse. Mais l'invention la plus extraordinaire est celle de l'Homme. Quoi de plus prodigieux que l'autoconstruction qui nous permet, en nous regardant nous-mêmes, de nous transformer. La réponse de la science à la question de toujours «qu'est-ce qu'un être humain ?» est plus que jamais source d'émerveillement.

Le point d'arrivée : la personne humaine

Nous devons aujourd'hui non seulement être conscients de nos pouvoirs et nous interroger sur le droit de les exercer en assumant notre rôle de cocréateurs du cosmos, mais aussi comprendre comment notre hyper-complexité cérébrale nous permet d'échapper collectivement au sort commun des objets produits par l'Univers.

Rappelons que la « complexité » est la caractéristique d'une structure dont les éléments sont nombreux, sont divers, et sont reliés entre eux par de multiples interactions. Lorsque cette complexité est suffisante, la structure manifeste des performances qui ne peuvent être déduites de la connaissance de chacun de ses éléments. Appliquons ce constat à l'« objet » qu'est l'humanité. Elle est riche de six milliards d'individus, tous différents ; les conditions de nombre et de diversité sont donc remplies. Mais les interactions sont-elles suffisamment subtiles et intenses ? Cela dépend d'eux. S'ils sont capables de mettre en commun non seulement des informations mais des projets, des angoisses, des espoirs, alors ils ne sont plus une foule, mais un ensemble intégré capable de performances inaccessibles à chacun des humains isolés, et chacun d'eux peut en profiter.

L'important est de comprendre que mettre en relation est différent d'additionner ; deux *plus* deux font quatre, mais deux *et* deux peuvent donner tout autre chose que quatre ; cela est vrai en permanence dans notre cosmos, et cette émergence de l'inattendu est particulièrement spectaculaire avec l'aventure de l'humanité. La richesse de notre cerveau nous a permis de manifester une merveilleuse intelligence, mais c'est la complexité du réseau que nous établissons avec les autres qui nous a fait accéder à la conscience d'être.

Pour expliquer cette conscience, on peut évoquer une décision spécifique du Créateur ; mais c'est là une affirmation que l'on ne peut ni prouver ni démontrer fausse ; elle repose sur une foi, elle n'entre donc pas dans le discours scientifique. Une autre explication est que notre capacité à dire «je» n'a pas été donnée à chacun par la nature, mais a été apportée par les «tu» venant des autres. Grâce à ce réseau, tout homme est plus que lui-même. Chacun le ressent dans le secret et dans le doute ; pour progresser, la meilleure voie est de comprendre que mon « plus », ce sont les autres, et d'en tirer les conséquences.

Pour appartenir à l'humanité, il ne suffit pas d'avoir reçu la dotation génétique caractéristique de l'espèce, il faut aussi avoir été immergé dans une communauté humaine. Il faut distinguer la définition de l'individu de celle de la personne. Le premier est fait de particules associées en cellules, réunies en organes, la seconde est constituée de liens. Il s'agit de deux univers du discours différents ; le premier est de l'ordre des objets, le second de l'ordre des valeurs.

Les liens que nous tissons constituent la meilleure définition de nous-mêmes. Être un humain signifie être capable de sortir de soi, de dire « je » comme si l'on parlait d'un autre ; Arthur Rimbaud l'a osé : dans son œuvre, « je » se conjugue à la troisième personne.

Cette conscience a été donnée aux hommes au prix d'un long effort qui a sans doute nécessité la succession de milliers de générations ; elle est un cadeau que les hommes se sont fait à eux-mêmes. Nous avons fait l'humanité, et elle nous a transformés. Il ne s'agit pas d'un cercle vicieux constamment recommencé, mais d'une spirale vertueuse faisant toujours apparaître des possibilités nouvelles. La nature a produit, au terme provisoire d'une longue évolution, des individus ; nous avons créé les personnes.

En tant qu'individu, chacun est un objet parmi d'autres ; il est défini par ses caractéristiques biologiques résultant de son patrimoine génétique ; son histoire peu à peu le façonne, lui donnant une personnalité spécifique ; mais il ne devient véritablement une personne que lorsque la communauté humaine lui reconnaît des droits. Ce concept de droit est inconnu du cosmos ; rien parmi tous les objets qui le constituent n'est source de droits ; chacun est aveuglément soumis aux forces qui s'exercent sur lui. Évoquer des droits, c'est changer d'univers. L'individu, le sujet, la personnalité appartiennent à l'ordre des réalités que nous pouvons constater et décrire ; la personne appartient à l'ordre du sacré, de l'infiniment respectable, de l'inviolable, défini collectivement par une décision humaine.

À quel stade de son histoire un individu devient-il une personne ? À cette question, il n'y a de réponse qu'arbitraire. Tout au plus pouvons-nous évoquer des problèmes liés aux deux extrémités du parcours de vie : la conception, d'où l'interrogation concernant l'avortement, la mort, d'où l'interrogation concernant l'euthanasie.

Un ovule, un spermatozoïde ne sont pas, isolés, le support d'une personne ; mais ils se fondent l'un dans l'autre, multiplient les cellules et commencent à former un individu ; celui-ci est alors capable de devenir une personne par l'échange des liens avec les autres. Le lien mère-fœtus introduit la réalité d'une personne dans l'amas de cellules qui se forment et qui, dans l'esprit de la mère, est l'équivalent de «quelqu'un». Elle a conscience du fait qu'un enfant se forme, et cette conscience rend cet enfant sacré. Dans cette voie, le problème de l'avortement est affronté en admettant que l'embryon devient une personne en fonction de l'attitude de sa mère.

De même, la fin de la vie pose des problèmes nouveaux dus au développement de nos moyens techniques. Autrefois, la mort était la conséquence de processus naturels. Aujourd'hui, dans la plupart des cas, l'instant précis de la mort est le résultat d'une décision technique. Une possibilité de réflexion est de recourir au concept du «mourir», défini comme cette période de la vie qui est ressentie comme ultime. Le rôle de ceux qui assistent le mourant est de lui permettre de vivre son mourir en respectant un équilibre difficile entre la conscience, la lutte contre la douleur et la durée. Une mort plus sereine peut parfois être obtenue au prix d'une vie moins longue.

Entre une conception imprécise et une mort mal définie, il y a toute une vie qui consiste à multiplier les liens, à sortir de soi-même, ce qui est l'objectif de l'éducation.

Il nous faut maintenant poursuivre cette construction de l'humanité et adopter un projet digne de ce que nous pouvons réaliser.

V

DEMAIN : L'ESPOIR

Un projet pour demain

Selon l'étymologie, un siècle n'a aucune raison de durer cent ans ; il est une longue période entre deux événements importants qui en marquent le début et la fin. Ainsi, le XXᵉ siècle a commencé en 1914 avec la Grande Guerre et s'est achevé en 1989 avec la chute du mur de Berlin et la disparition de l'Union soviétique. Cette fin, qui a transformé la confrontation Est-Ouest, n'a pas été décidée par des grands chefs mais provoquée par la volonté de millions de citoyens ; elle marque le début du XXIᵉ siècle. En l'an 2002, nous sommes déjà dans la treizième année de ce nouveau siècle.

Plus urgent que le bilan du siècle passé est le projet pour le prochain. Comment ne pas être angoissé par cette responsabilité ? Elle est symbolisée par le rôle de l'architecte élaborant constamment des projets, c'est-à-dire se donnant une attitude de cocréateur et non de créature soumise aux lois de la nature.

Tirant la leçon du passé, il apparaît nécessaire de mettre en place une organisation des rapports entre les hommes qui ne soit plus fondée sur la compétition, mais sur la solidarité, où, par conséquent, aucun être humain ne puisse être considéré comme étant de « trop ».

Contrairement à une idée répandue, la compétition n'est nullement une nécessité imposée par la nature. Les progrès humains les plus décisifs, ceux qui ont amélioré notre lucidité sur le monde qui nous entoure, n'ont pas été le fruit d'une compétition entre chercheurs, mais l'aboutissement d'un désir personnel de compréhension face à l'angoisse générée par l'ignorance.

Actuellement, la croyance en la nécessité de la compétition est confortée par l'influence grandissante des économistes, manifestée notamment par le rôle du Fonds monétaire international. Ce ne sont plus les besoins réels des hommes qui sont pris en considération, mais les équilibres artificiels voulus par les financiers.

Un krach boursier aux conséquences dramatiques n'est nullement impossible.

Selon René Dumont, «ce monde est mal
parti». Il n'est peut-être pas trop tard pour changer son orientation. En prenant comme moteur
la compétition, nous considérons tout autre
comme un adversaire, tout au moins comme un
obstacle. Si nous voulons échapper à la barba-
rie, il nous faut au contraire voir en tout autre
une source. Ce changement nécessite une véritable révolution. Qui la fera?

Relisons *Le Prince* de Machiavel; l'auteur
donne ce conseil à son prince: «Si tu veux éviter la révolution, mon prince, fais-la.» Les
princes du monde d'aujourd'hui sont les habitants des pays riches. C'est à eux de changer
leur comportement, et surtout la logique de
leurs choix. Qu'on le veuille ou non, ce siècle
connaîtra un changement radical de la société
planétaire. Si nous nous contentons, nous, les
riches, de le subir, il se fera contre nous, et
risque d'aboutir à une catastrophe pour tous. Si
nous avons la sagesse d'y participer, il peut
conduire à une humanité pacifiée, où les inégalités seront moins scandaleuses. Mais sommes-
nous prêts à diminuer notre consommation des
biens non renouvelables?

Puissance de l'Homme

Nous sommes aujourd'hui à une bifurcation. Dans quelques décennies, les conditions de notre survie seront différentes. La population totale, qui a quadruplé en un siècle, aura encore augmenté de moitié. Nos pouvoirs seront encore accrus. Quel usage allons-nous en faire ? Nous vivons une période où des bouleversements sont inévitables ; demain ne peut pas être semblable à hier. Comment affronter un choix aussi décisif ? Essayons d'imaginer deux types d'avenir, l'un dans la continuité du présent, l'autre répondant au désir d'un sort plus humain.

La question de départ est : sommes-nous les uns avec les autres ou les uns contre les autres ? La société occidentale aujourd'hui dominante et qui s'impose comme modèle à toutes les autres répond « contre ». Conduite par la logique des financiers, elle adopte comme solution miracle à tous ses problèmes la croissance : consommons toujours plus et tout ira mieux. Cette voie ne peut mener qu'à l'épuisement des ressources collectives ; elle néglige la fonction première de toute communauté humaine : créer un réseau permettant à tous d'échanger et à chacun de devenir une personne.

La nature a produit *Homo*, mais c'est l'humanité qui a créé l'Homme. Il est temps d'en tirer les conséquences, d'utiliser notre efficacité pour mettre en place un nouvel ordre mondial évitant les erreurs commises jusqu'ici. Comprenons que si les hommes ne forment qu'une foule inorganisée, leur ensemble ne manifeste aucune complexité et ne dispose d'aucun pouvoir autre que ceux fournis par la nature. En revanche, s'ils savent tenir compte les uns des autres en un ensemble interactif, ils peuvent explorer des voies nouvelles et construire une humanité capable de réaliser ce qui apparaît aujourd'hui comme utopique.

Sans doute des étapes seront-elles nécessaires avant d'aboutir à un ensemble planétaire satisfaisant. Une réalisation partielle riche d'enseignements pourrait être tentée avec l'ensemble des peuples méditerranéens ; ils peuvent constituer l'équivalent d'un laboratoire où mettre au point des méthodes qui pourront ensuite être généralisées.

Un nouveau système éducatif

C'est par la mise en commun du système éducatif que des progrès rapides peuvent être espérés dans la mise en place d'une structure humaine planétaire. C'est en effet là que les individus deviennent des personnes. En bonne logique, la mondialisation devrait être concrétisée, pour commencer, par la fonction qui doit être considérée comme première par toutes les collectivités, l'éducation. Une première phase pourrait être réalisée pour l'ensemble des pays méditerranéens. Leurs cultures ont en effet des sources communes. Or, faire vivre un système éducatif est si coûteux que certains pays ne peuvent en supporter la charge, d'autant que la proportion des jeunes y est très élevée. La seule issue est de mettre ce coût en commun entre pays riches et pays pauvres. Il ne s'agit pas d'imposer à ceux-ci la culture de ceux-là, ce qui serait un retour au colonialisme, mais de fournir aux plus démunis les moyens d'une éducation généralisée et dynamique conforme à leurs traditions.

Dans cette voie, il serait bénéfique de créer une Communauté culturelle méditerranéenne dont le rôle serait notamment, grâce aux subventions de tous, proportionnellement à leur richesse, de prendre en charge l'éducation de tous les enfants, qu'ils soient égyptiens ou algériens, palestiniens ou israéliens. Ne serait-ce pas le meilleur moyen de lutter contre tous les intégrismes ? Ce projet de CCM n'est pas plus utopique que ne l'était, il y a un demi-siècle, le projet d'une Europe pacifiée grâce à la CEE, puis à l'UE.

Actuellement, il n'est question de mondialiser que les échanges de biens ayant une valeur marchande. Il est temps d'abolir les frontières qui s'opposent aux échanges de cultures et d'idées. Enfermé dans les limites d'une nation, le système éducatif risque de se borner à apporter aux jeunes du savoir, de les préparer seulement à leur rôle de producteur-consommateur. Ouvert sur les cultures extérieures, il les aiderait à devenir les acteurs de l'échange constructif avec les autres.

Cette attitude d'échange est le seul véritable remède à l'angoisse existentielle, car elle nous permet d'échapper à notre statut d'objet et d'acquérir celui d'une personne.

Au-delà des métabolismes qui nous maintiennent en vie, ce statut fait de chacun quelqu'un qui existe pour les autres. En tant qu'homme, nous avons le droit d'être orgueilleux, mais cet orgueil n'est pas fondé sur ce que la nature nous a donné ; il est fondé sur notre capacité à nous intégrer dans une communauté qui nous transforme. Ainsi, une note de musique n'a aucune valeur en elle-même, elle devient nécessaire à la mélodie lorsqu'elle s'insère dans l'harmonie d'un accord. S'il rompt les liens qu'il tisse, chaque homme perd la partie véritablement humaine de son existence.

Le rôle de l'architecte

N'ayant d'autre choix que de faire un projet pour demain, tout homme doit adopter le comportement de l'architecte qui, lorsqu'il décide des fondations de la maison, sait déjà comment sera le toit. Le « toit » de la maison humanité, ce sont les générations à venir. Les fondations, nous les creusons par nos décisions d'aujourd'hui. Nous sommes coupables lorsque nous nous abandonnons à la paresse intellectuelle en nous satisfaisant d'idées toutes faites.

L'architecte est le prototype du rebelle : alors que tout, dans la nature, fait d'aujourd'hui le résultat d'hier, il tente de rendre aujourd'hui compatible avec ce qu'il désire pour demain. Il renverse le sens de la causalité.

Ce qu'il réalise est un lieu où les hommes vivront en commun ; il est de sa responsabilité de donner une orientation à cette mise en commun. Elle peut se borner à une juxtaposition d'existences indépendantes, enfermées dans leur solitude stérile, à la seule recherche de satisfactions immédiates. Elle peut aussi aboutir à des rencontres toujours nouvelles, à la construction de personnes constamment en quête de contacts, à la réalisation d'une société où chacun se sente merveilleux dans le regard des autres.

C'est la liberté qui est en cause.

Bien sûr, l'architecte doit être un bon technicien ; il doit résoudre avec élégance les problèmes qui lui sont posés ; il lui faut être efficace. Mais cette efficacité nécessaire n'est pas suffisante. Il lui faut laisser parler en lui l'angoisse permanente : «Ce que j'ai réalisé aidera-t-il les hommes de demain à vivre plus sereinement?»

Table

DU MÊME AUTEUR :

Éloge de la différence, Le Seuil, Paris, 1978

Au péril de la science, Le Seuil, Paris, 1982

Moi et les autres, Le Seuil, coll. «Point-Virgule», Paris, 1983

Inventer l'homme, Éd. Complexe, Bruxelles, 1984

Cinq Milliards d'hommes dans un vaisseau, Le Seuil, coll. «Point-Virgule», Paris, 1987

Idées reçues (avec Hélène Amblard), Flammarion, Paris, 1989

C'est quoi l'intelligence? Moi je viens d'où? (avec Marie-José Anderset), Le Seuil, Paris, 1989

Abécédaire de l'ambiguïté, Le Seuil, coll. «Point-Virgule», Paris, 1989

Voici le temps du monde fini, Le Seuil, Paris, 1991

La Légende de la vie, Flammarion, Paris, 1992

E = CM2, Le Seuil, coll. «Point-Virgule», Paris, 1993

Absolu (entretiens avec l'abbé Pierre, animés par Hélène Amblard), Le Seuil, Paris, 1994

J'accuse l'économie triomphante, Calmann-Lévy, Paris, 1995

Le Souci des pauvres, Calmann-Lévy, Paris, 1996

Petite Philosophie à l'usage des non-philosophes, Calmann-Lévy, Paris, 1997

L'Équation du nénuphar, Calmann-Lévy, Paris, 1998

La Légende de demain, Flammarion, Paris, 1997

À toi qui n'es pas encore né(e), Calmann-Lévy, Paris, 2000

Paroles citoyennes (citations recueillies par Alix Domergue et Albert Jacquard), Albin Michel, Paris, 2001

La Science à l'usage des non-scientifiques, Calmann-Lévy, Paris, 2001

Composition réalisée par INTERLIGNE

Achevé d'imprimer en France sur Presse Offset
par
BRODARD ET TAUPIN
à La Flèche (Sarthe)
pour le compte des Éditions Hachette
Aubin Imprimeur
LIBRAIRIE GÉNÉRALE FRANÇAISE - 43, quai de Grenelle - 75015 Paris.
ISBN : 2-253-06692-7